仁和寺本《黃帝內經太素》

（中）

主編◎錢超塵
副主編◎王育林 劉陽

北京科學技術出版社

《黃帝內經》版本通鑒

第一輯

《黄帝内經》版本通鑒·第一輯

仁和寺本《黄帝内經太素》（中）

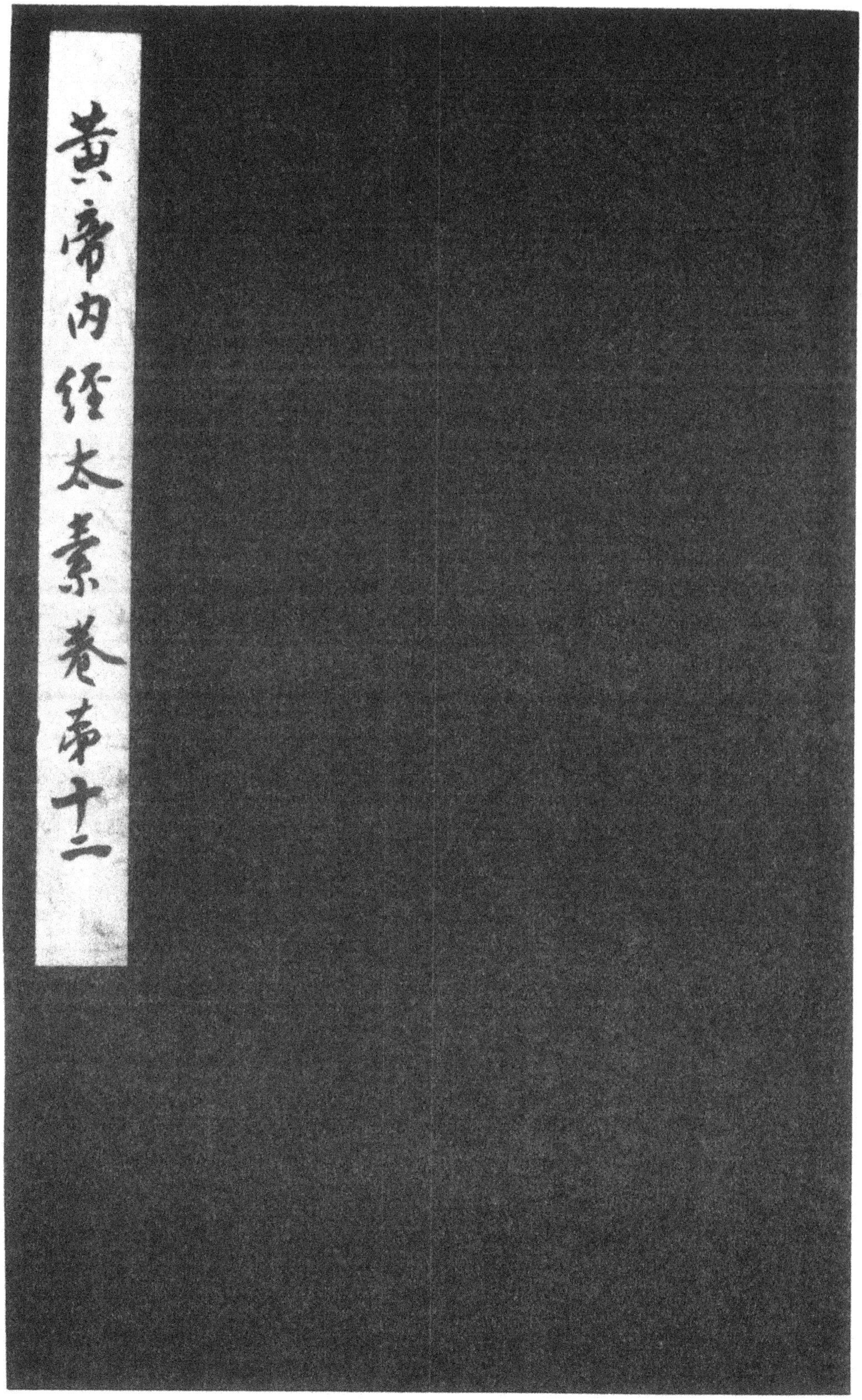
黄帝内經太素卷第十二

營衛氣

通直郎守太子文學臣楊上善奉　勅撰注

營衛氣別

營衛氣行

黄帝問岐伯曰人焉受氣 人之生也稟氣而生未知稟受何氣

何氣爲營

衛於烏會 問營衛知名之所由一氣生處

老壯不同氣陰陽異位願聞其會 問生會

岐伯答曰人受氣於穀穀入於胃以傳肺五

藏六府皆以受氣 人之受氣受穀氣之肺以已氣故穀之精氣傳之与肺氣傳与藏府故藏府皆受氣於肺也

其清者爲營濁者爲衛 清氣爲營濁氣爲衛

營在脈中 清四之氣注

以營於身故曰營氣穀之濁氣在脈外衛身故曰衛氣

外衛周身不休衛身故曰衛氣也營周不休營氣

生氣營不□□□□大會營氣營氣五十周也矣

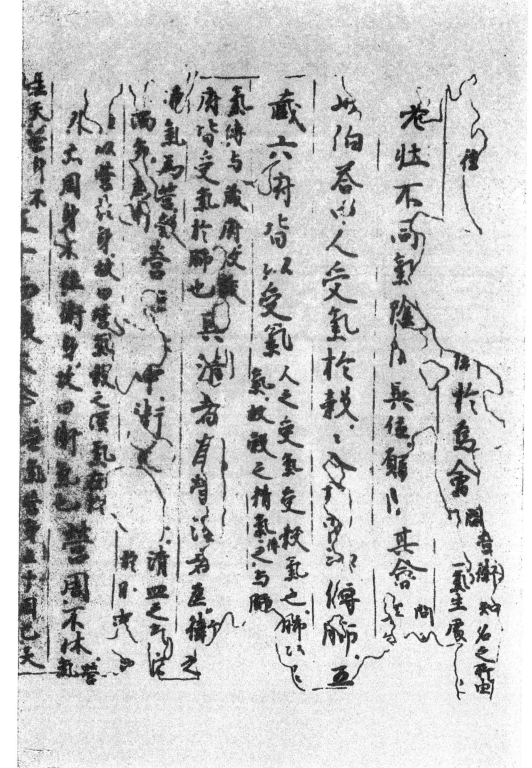

外，大周身不住，衛身，故曰衛氣也。營居不休氣
法天，營身不息，故曰不休。五十而復大會，營氣營身五十周也，大會於兩手太陰中也。
陰陽相貫，如環無端。營氣起於中焦，下絡大腸，上肺，從注肺，上之
指，次注之端，入手陽明，從手陽明入足陽明，次入足大陰，次入手
少陰，次入手太陽，次入足太陽，次入足少陰，次入手主，次入手
陽，次入足少陽，次入足厥陰。陽衛氣行
貫，終而復始，與天地同紀，大如環無端也。

十二分缺

[illegible]度行於陽廿五度分為晝

夜[illegible]衛氣之行也晝周也陰者五藏也陽者三陽[illegible]晝行三陽[illegible]五周夜行五藏[illegible]

[illegible]陽為晝陰為夜也故氣至陽而起至陰而止

人氣衛氣也陽日也陰夜也衛氣至平旦大陽[illegible]陽是之陰[illegible]行時等五[illegible]

[illegible]止上也故曰中而陽隴為重陽隴大也日中陽盛故為大也[illegible]為陽

也熱至日中設日夏陽也夜半而陰隴為重陰夜為陰極至夜半詩曰重陰也

故太陰主內太陽主外各行廿五度分為晝

[illegible]也外主[illegible]也衛氣行[illegible]

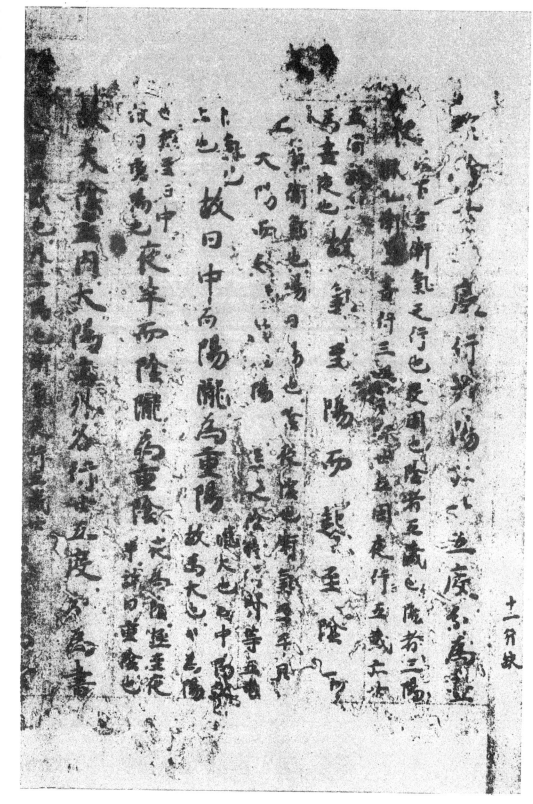

然少壯不夜寤者何氣使然岐伯答曰壯者
之氣血盛其肌肉滑氣道通營衛之行不
失常故晝精而夜瞑老者之氣血衰其
肌肉枯氣道濇五藏之氣相搏其營氣衰
少而衛氣內伐故晝不精夜不得瞑 已年
言老壯之人營衛氣盛衰皆衰小脈中 也少壯氣內代營氣衰代塞息也 黃帝曰
營氣之道內穀為寶 人之生也以氣為宗宗氣之 貴者即為
也然皆

營氣之道，内穀爲寶。□黄者□□即爲宗□□□胸□營氣衆重，故名寶也。穀入於胃，乃傳之於肺，流溢於中，布散於外。穀入胃已，精濁下流，清精注肺，肺々傳其氣，流溢五藏，布散六府也。精專者行於經隧，常營無已，終而復始，是謂天地之紀。精專血氣，常營无已，名曰營氣也。故氣從太陰出，注手陽明，上行注足陽明，下行至跗上，注大指間，與太陰合。此下言營行十二經脈也。氣，營氣也。營氣起於中焦，並胃口出上焦之後，注手太陰，手陽明，乃之足陽明也。上行抵髀，從脾注心中

手陽明乃之是陽明也上[illegible]杼脈後脈[illegible]心中

循手少陰出腋下臂注小指之端合手大

人行於節從頞內注目內眥上顛下項

八息一次陽循脊下風行注小指之端足大陰脈注心

中從心心循手少陰脈行也合者合手小指端也上顛

下項者十二經中手太陽支者別頰上頞抵鼻至目

內眥一太陽脈起目內眥此書上顛者循手太陽氣至目

內眥合足太陽之氣與足共行上頂下項從後循合理大元違

前從心注足少陰上行注臍從臍注心外散

次胸中循心注脈出腋下臂入兩筋之間

[illegible]心中循[illegible]

氣中循心注脇出腋下肩入肘前之陰
入掌中出中指之端還於小指次指之端合
手少陽上行注膻中散於三膲從三膲注
膽出脇注足少陽下行至跗上復從跗注大指
間合足厥陰上行至肝從肝上注肺上循喉
顙之竅究于畜門其支別者上額循
巔下項中循脊入骶是督脉也絡陰器上
過毛中入臍中上循腹裏入缺盆下注肺
[illegible]

復出太陰此營氣之行逆順之常也問曰肝脈之厥陰上貫膈布脇肋循喉嚨之後上入頏顙道系上出額与督脈會於巔此言之厥陰脈循喉嚨竟於畜門有觧入散奇是督脈脈者未知督脈与之厥陰脈同異何如答曰之厥陰脈從肝上注肺上循喉嚨上至於巔与督脈會皆循行於畜門上額至顱下項入散与厥陰云同此言別者上頏顙之言乃是營氣行之陰異名閒別於厥陰之脈循督脈上顛垂顱下項入脊骼陰器上循腹裏入缺盆復別於肺脈肺中復出手太陰之脈此是營氣循列度數常行之通与脈循及督脈任脈並是也頻常會出上繫乳當門穿孔九逆順者在手太陰而出循陽而入於是從陰而入循陽而出此為營氣行逆順常也也

黃帝曰願聞營衛之

此爲營氣行逆順常也。黃帝曰：願聞營衛之
所行，皆何從行？岐伯答曰：營出於中焦，衛
出於上焦。夫三焦者，上焦在胃上口，主內而不出，其理在膻中；中焦在胃中口，不上不下，主腐熟水穀，
其理在齊旁；下焦在齊下，當膀胱上口，主分別清濁，主出而不內，其理在齊下一寸。故中焦者，胃中口也。
上焦者，出胃上口也。黃帝曰：願聞三焦之所出。前問營衛二氣所出，出於三焦也。
前問衛氣之行，何處始數斷。岐伯答曰：上焦出於胃上口，並咽以
上，貫膈，布胸中，走腋，循太陰之分而行，
還注陽明，上至舌，下 咽道送膈，名胃上口，胃之上口，出氣所候，上布於胸以旋
胸中之氣，循肺脈手太陰行，大腸注手陽明

注手陽明上至舌 此氣所循咽也上布於胃口從
胃中之使循肺脈手大陰行至大指次指之端注手陽明
脈循指上廉上至下齒中氣別於舌故曰上至舌也其別則上至
目以與衛氣並行 下足陽明 其脈逆上從口來入於
之道與營共行也 足之者是從上使鼻
孔與足陽明合足陽明下行至足
是大陰善為營氣俱行也 常與營俱行於陽
廿五度行於陰亦廿五度一周也故五十周而
復大會於手太陰 營氣行晝故有行陽也行夜故
即行陰也其氣於廿八脈十六
丈二尺晝行廿五周夜行廿五周故一日一夜行五十周於
其會手太陰脈也一度有一周五十周為日夜
一大周矣上唯衛言循營氣
行然後復此言營氣也 黃帝曰人有熱飲食

行於復出帝營氣已也　黄帝曰人有熱飲食下胃其氣未定汗則出或出於面或出於背或出於身半其不循營衛氣之道而出何也岐伯曰此外傷於風內開腠理毛蒸理泄衛氣走之固不得循其道此氣慓悍滑疾見開而出故不得從其道故命曰漏泄　熱之氣以火氣上行也衛氣在於外肉內之間腠理傷風熱故飲食毛蒸理泄故腠之開慓謂疾及急也悍謂疾及勇也言衛氣之氣逐不循其道即出以汗謂之漏以風也　黄帝曰

之氣逆不循其道即出，上言衛謂之漏以風也。黃帝曰：聞其中焦之所出。岐伯曰：中焦亦並胃口，出上焦之後，此所謂受氣者，泌糟粕，蒸津液，化其精微，上注於肺脈，乃化而為血，以奉生身。泌音必。中焦在胃中口，上焦之氣從胃中口出，已至胃上口出，上焦已後。五穀之氣，以泌去糟粕，蒸津液之汁，化其精微者，注入手大陰脈中，變赤為血，以奉生身。莫貴於此，故獨得行於經隧，命曰營氣。血，人眼受血所以能視，手之受血所以能握，足之受血所以能步，身之所貴莫先於血，故得行於十二經路之道，以營於身，故曰營氣也。之道故中焦黃帝曰：夫血之與氣，異名同類

充於脉故得行於十二經絡之道以營於身故曰營氣也

之道故中焦之營氣也　黃帝曰：夫血之與氣，異名同類，

何也？岐伯曰：營衛者精氣也，血者神氣也，故

血之與氣異名同類焉〻〻奪血〻〻無〻手少陰

氣者無血，故人生有兩死而無兩生。營衛人之生

〻〻氣雖精非氣也，血者神所之氣，而神非血也，故此之　〻〻奪氣无異也，脫汗無血，所氣無死，故有兩死也，有血〻

生有氣亦生隨十六一　所生，故无兩生也。　黃帝曰：願聞下焦之所出。

伯答曰：下焦者，別迴腸，注於膀胱而滲

□□下膲者，別迴腸，注於膀胱而滲

以水穀者，常并居於胃中，成糟粕而俱下於大腸而成下膲，滲而俱下，濟泌別汁，循下膲而滲入膀胱焉。且腸，大腸也。下膲在齊下，當膀胱上口，主分別清濁，出而不內，此下膲處也。濟泌別汁，循下膲，滲入膀胱，此下膲氣液也。膀胱，尿脬也。

黃帝曰：人飲酒，酒亦入胃，穀未熟而小便獨先下，何也？

伯高曰：酒者，熟穀之液也，其氣悍以清，後穀入而先穀出焉。其氣悍者，酒爲熟穀之氣，又熱，故氣悍

□數六府□氣數也負穀之氣又與其氣□

黃帝曰：善。余聞上焦如霧，中焦如漚，

下焦如瀆，此之謂也。上焦之氣如霧在天，霧合之氣，謂如雲霧也，聽屋蓋之□。中焦之氣在於腹中，潤□之道也。□之氣洩液如溝瀆流注也。

營衛氣行

黃帝問伯高曰：夫邪氣之客於人也，或令

人目不瞑不卧出者，何氣使然？為邪客人，為病目開，不卧也。

伯高答曰：五穀入於胃也，其

糟粕津液宗氣分為三隧，□道也。

之也　伯高曰：五穀入於胃也，其糟粕、津液、宗氣，分為三隧。宗，惣也。隧，道也。糟粕、津液、惣氣。故宗氣積於胸中，出於喉嚨，以貫心脈，而行呼吸焉。糟粕、津液、滓穢下流，以為便洩。其清者為宗氣，積於膻中，名曰氣海。其氣貫於心肺，出入喉嚨之中而行呼吸一也。營氣者，泌其津液，注之於脈，化而為血，以營四末，內注五藏六府，以應刻數焉。營氣起於中焦，泌津液注於肺脈，脈中化而為血，循脈營於手之迴，五藏六府之中，從環以應刻數二。衛氣者，出其悍

五藏六府之中從環以應列數二衛氣者出其悍

氣之慓疾而先行四末分肉皮膚之間而不

休之晝日行於陽夜行於陰其入

於陰也常從足少陰之分間行於五藏

六府 行氣起於上膲上行至目行手足三陽已夜從足少陰分上行五藏至晝還行三陽如是

行〃藏行〃六府常夜行〃五藏之時藏脈絡府故亦行也以府在内故三也 令厥氣客

於藏府則衛氣獨衛其外衛其外則

陽氣瞋〃則陰氣盛少陽為滿是以陽

……厥氣邪氣也邪氣客於

陽氣盛〻則陽蹻盛少陰虛滿是不陰

虛故目不得瞑厥氣邪氣也邪氣客於内藏府中則衛氣不得入於陰行於陽氣唯得衛外〻則為盛陽瞋張盛也藏府以陽不行則内氣益少陽蹻之脉在外營目陰陽蹻盛溢故目不得合也瞑音眠也黃帝曰善治之奈何伯高曰補其不足寫其有餘調其虛實以通其道而去其邪不足陰氣也有餘外陽氣飲以半夏湯一劑陰陽以通其臥立至以下言半夏湯方以療厥氣厥氣既消内外氣通則目合得臥黃帝曰善此所謂決瀆壅塞經絡大通陰陽和得者也願聞其方

逆則閉合得則

黃帝曰善此所謂決瀆壅塞經絡大通陰陽和得者也願聞其方漢瀆

水壅泥之則通陰陽氣塞對流導

之故曰決瀆所以請聞其方也

伯高曰其湯方以流水千里以外者八升揚之萬遍取其清五升煮之炊以葦薪火沸置秫米一升治半夏五合徐炊令竭為一升半去其滓飲汁一小杯日三稍益以知為度故其病新發者覆杯則臥汗出則已

[illegible]飲湯覆杯即臥汗出病已矣

[illegible]古其[illegible]者[illegible]杯則卧汗出則已
矣久者三飲而已飲湯覆杯即卧汗出病已[illegible]言病愈速也三飲者一外[illegible]為一劑久病三服即差不至三劑新病一服即愈也黃帝曰余聞十二經
脉以應十二經水十二經水者其五色各
異清濁不同人之血氣若一應之奈何十二
水謂涇渭海湖汝沔淮漯江河濟漳此十二水十二經脉法以應五行故色各異也江清河濁即清濁不同也若如也人血脉如一者為脉十二經水也岐伯曰人之血氣苟能若
一則天下為一矣惡有亂者乎人之血氣苟能一種無差
[illegible]者不可不應於十二經水以血脉十二經[illegible]

則天下爲一矣惡有亂者
能一種無差
人者不可以應於十二經水以其脈十二經
不可附收得應於十二經水所以有相亂也
黃帝曰余聞一人非聞天下之衆岐伯曰夫一人者亦有亂氣天下之衆亦有亂氣其爲一耳
非直天下衆人亦有亂一
人自有十二經脈故有亂也
黃帝曰願人氣之清濁岐伯曰受穀者濁受氣者清
受穀之濁胃氣也
受氣之清肺氣也
清者注陰也肺濁者注胃濁清者上出於咽
穀氣濁而清者上
出咽口以爲噫氣也
清而濁者下行穀氣清而濁者下行清濁

濁而清者上出於口 出咽口以爲噫氣也

清而濁者則下行 穀氣清而濁者下行經脈之中以爲營氣 清濁

相干命曰亂氣 清者爲陰濁者爲陽清濁相干則陰陽氣亂也 黃帝曰

夫陰清〻而陽濁〻〻者有清〻〻者有濁別之

奈何 問清濁之別也 岐伯曰氣之大別 氣之細別多種今言其大略耳

清者上注於肺 穀之清氣上注於肺 濁者下流於胃 穀之濁下流於胃

胃之清氣上出於口 胃中穀氣濁而清者上咽出口以爲噫氣

肺之濁氣下注於經內積於海 注肺清而濁氣下注十

二經宗氣積膻中以爲……

肺之濁氣下注於經內積於海 氣下注十二經宗氣積膻中以為氣海而成呼吸也 黃帝曰諸陽皆濁何陽獨甚乎 諸陰皆清諸陽皆濁諸陽之脈皆因未知何經獨受中之濁也 岐伯曰手太陽獨受陽之濁 胃消腐熟水穀傳与小腸〻〻受盛經陰傳与大腸〻〻傳道是為小腸受臟濁最多故小腸經受陽之濁也 手大陰獨受陰之清其清者上走空竅 肺脈手大陰受於清氣其有二列有清之清之氣行於三百六十五絡皆上於面精陽之氣上行目而為精其別氣走耳而為聽其宗氣上出於鼻而為臭其濁氣出於胃口為味是手太陰清氣行之故也 其濁者下行諸經 手太陰清而濁者下入於脈行十二經中也諸陰皆清足太陰獨受其濁 六陰之脈皆清足

行之故也　其濁者下行　言多下入於脉行十二經中

也諸陰皆清足太陰獨受其濁六陰之脉皆清足太陰以是脾脉脾主水穀濁氣故足太陰是陰之濁也黃帝曰治之奈何岐伯曰清者

其氣滑濁者其氣澁此氣之常也故刺陽

者深而留之刺陰者淺而疾之清濁相干

者以數調之諸經多以清者為陽濁者為陰此經者以穀之悍氣為濁為陽穀之精氣為清

為陰有此不同也故人氣清而滑刺者刺淺而疾之其氣濁而澁者刺深而留之陰陽清濁氣并亂以理調

之理然也亂　黃帝曰經脉十二者別為五行分為四

者可[illegible]而[illegible]也可得而[illegible]

然也

黃帝曰：經脈十二者，別為五行，分為四時，何失而亂？何得而治？岐伯曰：五行有序，四時有分，相順則治，相逆則亂。相順者，十二經脈皆有五行、四時之分，謂攝生者順之，當分則為和為順；非常失理則為逆為亂也。黃帝曰：何謂相順？岐伯曰：經脈十二者，以應十二月。十二月者，分為四時。四時者，春夏秋冬，其氣各異，營衛相隨，陰陽已和，清濁不相干，如是則順而治。營在脈中，衛在脈外，內外相順，故曰相隨，非相隨行，相隨和也。黃帝曰：何謂逆而亂？岐伯

[illegible] 清氣在於脈內，為營，為陰也。

隨亦相隨行，於隨和也。黃帝曰：何謂逆而亂？

岐伯曰：清氣在陰，濁氣在陽，清氣在於脈內為營為陰也，濁氣在於脈外為衛為陽也。營氣順行脈，衛氣逆行，營衛氣順遂十二經而行也，衛之悍氣上至於目，循足大陽至足，是經為順行，其悍氣散者復從目循手大陽向手指，是為逆行也，此其常也。清濁相干，亂於胸中，是謂大悗。亡奇問陽氣入陰，陰氣入陽，即清濁亂也；營氣逆行，衛氣順行，即逆順亂矣。故氣亂於心，則煩心密嘿，俛首靜伏，密嘿，煩心不欲言也；俛首，低頭靜伏也。亂於肺，則俛仰喘喝，接手以呼，邪手大陰脈行臂，故肺氣亂肺及臂上間，所以接手以呼也。亂於腸胃，則為霍亂。腸胃交中，營衛之氣相雜為亂。亂於臂脛，則為四厥

及脾下腸所以接下以呼也　亂於腸胃則爲霍

亂　腸胃交中營衛之氣相雜爲亂故爲霍亂々々卒在剉也　亂於臂脛則爲四厥　四厥謂憂冬成四支熱也　亂於頭則爲厥逆頭重眩作　厥逆須直緑頭暈或熱重而眩作也　黃帝曰五亂者刺之有道

乎岐伯曰有道以來有道以去審知其道

是謂身寶　有道者理其亂使從其道　黃帝曰善願聞其

伯曰氣在於心者取之手少陰經心

主輸　氣在心取手少陰經者上經之心不受邪今氣在心者爲不受邪也善言邪在心之包胳所盛

乘手心之經何爲心痛二經俱藤故知心者去氣

上論在心君爲不受邪也善言邪在心之包胳所爲唯療手心之經何爲心病二經俱療故知心者亦受邪也輸謂手少陰手心主二經各第三輸也

氣在於肺取之手太陰滎足少陰輸手太陰滎肺之本輸足少陰輸乃是腎脉以其腎脉上入於肺上下氣通故上取太陰滎下取足少陰輸

氣在於膓胃者取之足太陰陽明下者取三里足太陰脾脉也脾胃府藏陰陽氣通故膓胃氣能取足太陰也陽明之脉是胃之大經胃之上輸在臍下輸在三里也

氣在於頭取之天柱大杼足太陽脉行頭天柱大杼並足太陽脉氣所發故取之也不知取足太陽滎輸取前二穴不覺愈者可取足太陽第二滎穴及第三輸也

六耳足太陰弟藏　太陽弟二藏也又弟三藏也　氣
在於臂足先去於血脉後取陽明少陽之
滎輸　手足四厥可先刺去手足盛絡之血然後取於手足陽明滎之與輸及手足少陽滎及輸也　黄
帝曰補寫奈何岐伯除入除出謂之導氣
補者除入疾出寫者疾入除出是謂通導營衛之氣使之和也　補寫無形所以謂之
同精是非有餘不足也亂氣之相逆也　補寫雖復
无數亂狀欲以同欲精於氣之是非有餘不足反亂氣之逆也故補者補寫之妙意復之和也　黄帝曰
允乎哉道明乎哉論請著之玉板命曰治
亂帝讃岐伯之言有二一則所言允協大道

善乎哉道明乎哉論請著之玉板命曰

此帝讚岐伯之言有二一則所言充揚大道[illegible]二則所論開道功便故請傳之不朽也

營五十周

黄帝曰余願聞五十營岐伯答曰天周廿八宿宿卅六分此據大率言耳其實猶卅六分人氣行一周謂晝夜周千八分其實千分耳據卅六全數剩之故剩八分也宿各卅五分七分之五則千分也知之然者下言氣行一周日行廿分氣行再周日行廿分人晝夜五十周故知一千分也日行廿八分

人經脈上下左右前後廿八脈周身十六丈二尺日行廿分人經脈一周言八分[illegible]

人經脈上下左右前後廿八脈周身十六丈二

尺日行廿分人經脈一周言八分者誤也以上下文會之可知也以應廿八宿漏水

下百刻以分晝夜以廿八脈氣之周身上應廿八宿漏水之數晝夜六分俱周

故人一呼脈再動氣行三寸一吸脈亦再動

氣行三寸呼吸定息氣行六寸一息之間日行未一分故不言日行之數

十息氣行六尺日行二分一息六寸十息故六尺二分謂於六分之七分也人氣十息行亦未一分也十三息半則一分矣

二百七十息氣行十六

丈二尺氣行交通於中一周於身下水二刻日

行 人十息六尺故二百七十息氣行一百六十二丈又日行

丈二尺氣行交通於中一周於身下水二刻日

行卅分。十息六尺，故二百七十息，氣行一百六十二丈，又此行廿分者，十息得廿七分之廿，百息得二寸，二百息得

以百二百七十息得五百卌分，筭七除之，則為廿分矣。五百卌息氣行再周於

身下水四刻日行卌分。倍一周筭之數。二千七百息氣

行十周於身下水廿刻日行五宿廿分。十倍一周，故曰

行二百分也。備若卅六分，故當五宿廿分也。由此言之，故知五十周以一升分為實也。一萬三千五

百息氣行五十營於身水下百刻日行廿八宿。

漏水皆盡脈終矣。此人一晝夜之息數，氣行廿八脈之一終，與宿漏相畢。所

謂交通者並行一數也。謂二手足脈氣并行而以一數。

漏水皆盡脈終矣脈之一終与宿漏相畢所謂交通者并行一數謂二手足脈氣并行而以一數之所氣行三寸者兩氣各三寸也而二氣之行俱夾於中故曰數通上有交通之文故云所謂也故五十營備得盡天地之壽矣壽即終天之歲以天地以廿八宿下水百刻爲一終也氣凡行八百一十丈即廿八脈相續五十周之數也

衛五十周

黃帝問於伯高曰願聞衛氣之行出入之合何如伯高荅曰歲有十二月日有十二辰子午

何如？伯高曰：歲有十二月，日有十二辰，子午

為經，卯酉為緯。天周廿八宿，而面有七星，四七

廿八星。房昴為緯，虚張為經。此云虚張為經者錯矣，南方七宿星為中也。

是故房至畢為陽，昴至尾為陰。經云昴至尾為陰，便謂心宿也。

陽主晝，陰主夜。故衛氣之行，一日一夜五十周

於身，晝日行於陽廿五周，夜行於陰廿五周，周於

五藏。晝行手足三陽，終而復始，廿五周；夜行五藏，終而復始，廿五周也。是故平旦陰氣

盡，陽氣出於目，目張則氣上行於頭，循項下

……行於五藏，陰氣盡也

盡陽氣出於目目張則氣上行於頭循項下
足太陽循背下至小指之端行於五藏陰氣盡也衛氣出目循足大陽氣生於目也小指之端足小指外側際也其散者別於目兌眥下手太
陽下至小指之端外側其散者別目兌眥下
足少陽注小指次指之間以上循手少陽之
分下至小指次指之間別者至耳前合於頷
脉注足陽明下行至跗上入五指之間其散
者從耳下下手陽明入大指之間入掌中其至
目眥一曰目達蔽者衛之悍氣循足太陰脉而行陰別故

者從耳下下手陽明入大指之間入掌中

目崖一曰目遠眥者衛之悍氣循足大陰脈而有除別故
刀眥者別目氣皆目外決皆也同之氣皆有手大陽經足大陽
令言別者足大陽脈係於目眥其氣至於氣皆故衛氣別
同氣皆下手大陽至小指之端外側也行此手足大陽一刻時也
衛之悍氣刻者從足少陽至小指次指之間別者循手少陽臂
於小指次指之間二刻時也衛之悍氣別者合於頷脈謂足陽明
也入五指間者之謂足陽明脈從入中指間故刻雖著先刻之陽明
行指間也手陽明偏歷大腸秉府脈上曲頰偏齒其別者從歲
入耳合於宗脈衛別於耳下下手陽明至大指間入掌中者手陽明脈不
入掌中而言入者手陽明脈氣雖不至掌中衛之悍氣循
行陽明脈至掌中三刻時也其至於之也入足心出內踝下行以
少陰復合於目爲一周衛之悍氣晝日行手足三陽已從於足心循
足少陰脈上復合於目以爲行
陽一周如是晝日行廿五周也　是故曰行一舍人氣行

周於身……一……人以下是晝行陽廿五周人氣

陽一周。如是晝日行廿五周也。是故日行一舍人氣行

一周於身与十分身之八。以下具言行陽廿五周人氣行身一周復行弟二周内

身分之中八分即日行之一舍也日行二舍人氣行三周於身与十

分身之六日行三舍人氣行於身五周与十分

身分之四日行四舍人氣行於身七周与十分身

之二日行五舍人氣行於身九周日行六舍人

氣行於身十周与十分身之八日行七舍人氣

行於身十二周於身与十分身之六日行十四舍

人氣行廿五周……之氣

行於身十二周於身與十分身之二日行十四舍

人氣行廿五周於身有奇分十分身之四（行陽廿五周於身有奇分，十分身之二，言四誤也。）陽盡而陰受氣矣。其始入於陰，常從足少陰注於腎，腎注於心，（衛之陽氣盡日，行二陽廿五周已，至夜行於五藏廿五周。腎脈支者，從肺出絡心，故衛氣循之注心者也。衛氣夜行五藏，皆從能剋注於所剋之藏，以為次也。）心注於肺，（心脈直者，手少陰，復從心系却上肺，故衛氣循心注肺者也。）肺注於肝，（肝脈支者，復從肝別貫膈，上注肺，故衛氣循肺注肝者也。）肝注於脾，（肝脈使胃，胃脈絡肝，故得肝脈注於脾也。）脾復注於腎為一周。（脾脈足太陰，從下入少腹，氣生於腎，故衛氣循之。）

是故夜行一舍，人氣行於陰藏一周

於腎也　[illegible]少陰氣生於腎故衛氣循之注腎者也是故夜行一舍人氣行於陰藏一周與十分藏之八亦如陽之行廿五周而復合於目前行陽中日行一舍人氣行身一周復行後周十分之身八分此夜行一舍人氣行陰藏一周復行後周十分藏之八與前行陽廿五周數同也有廿五周合五十周復合於目終而復始陰陽一日一夜合有奇分十分身之二與十分藏之二行陽奇分十分身之二行陰奇分大有十分藏之二其數同也是故人之所以臥起之時有早晏者奇分不盡故也　黃帝曰衛氣之[illegible]生[illegible]候氣而

時有早晏者奇分不盡故也　黄帝曰善
氣之在於身也上下往來不以期候氣而
刺之奈何伯高曰分有多少日有長短春秋
冬夏各有分理然後常以平旦為紀以夜
盡為始是故一日一夜水下百刻廿五刻者
半日之度也常如是毋已日入而止隨日之長
短各以為紀而刺之謹候其時病可與期
失時反候百病不治故曰刺實者刺其來
也刺虛者刺其去也此言氣存亡之時以

其時反作百病不以故曰刺實者刺其來

也刺虛者刺其去也此言氣存亡之時以候

虛而刺之刺實者衛氣來而實者可刺而寫之衛氣去而虛者可刺而補之

是故謹候氣之所在而刺之是謂逢時補寫

之道逢為須候於時氣行在刺之病在三陽必候其氣之加在於

之分而刺之病在於三陰必候其氣之加在

於陰分而刺之病在手足三陽刺之可以用療陽病之道也病在三陰刺之可以取療陰病

之道也水下一刻人氣在太陽此大陽者在手足大陽也水下二刻

人氣在少陽若留之……一刻……

水下一刻人氣在太陽手足太陽也水下二刻人氣在少陽在少陽者謂是手足少陽水下三刻人氣在陽明在陽明謂是手足陽明也水下四刻人氣在陰分水下五刻人氣在太陽水下六刻人氣在少陽水下七刻人氣在陽明水下八刻人氣在陰分水下九刻人氣在太陽水下十刻人氣在少陽水下十一刻人氣在陽明水下十二刻人氣在陰分水下十三刻人氣在太陽水下十四刻

分水下十三刻人氣在太陽水下十

氣在少陽水下十五刻人氣在陽明水

十六刻人氣在陰分水下十七刻人氣在太

陽水下十八刻人氣在少陽水下十九刻人氣

在陽明水下廿刻人氣在陰分水下廿一刻

人氣在太陽水下廿二刻人氣在少陽也

一刻人氣在陽明水下廿四刻人氣在陰

水下廿五刻人氣在太陽此半日之度也

以下廿五刻人氣在太陰此半日之度也
房至畢十四舍水下五十刻日行半度迴
行一舍水下三刻与七分刻之二迴行一舍水下三刻与七分刻
言七分刻之二者錯矣置五十刻以十四舍除之
得三刻十四分刻之八法實俱半之得七分刻之四大要曰
常以日之加於宿上也人氣在太陽衛氣行三陽上於目者皆
達心心肺肺足少陰脈上至目以為一刻若至於夜從入腎腎
從脾脾注於肺肺晝夜行藏之左右周而至於目合五十周終而復始故
繁為雜不
煩注解也是故日行一舍人氣行三陽行与陰分常
如是無已与天地同紀紛紛盼盼終而復始一日
一夜水下百刻而盡矣紛芳云反亂也盼普莧反

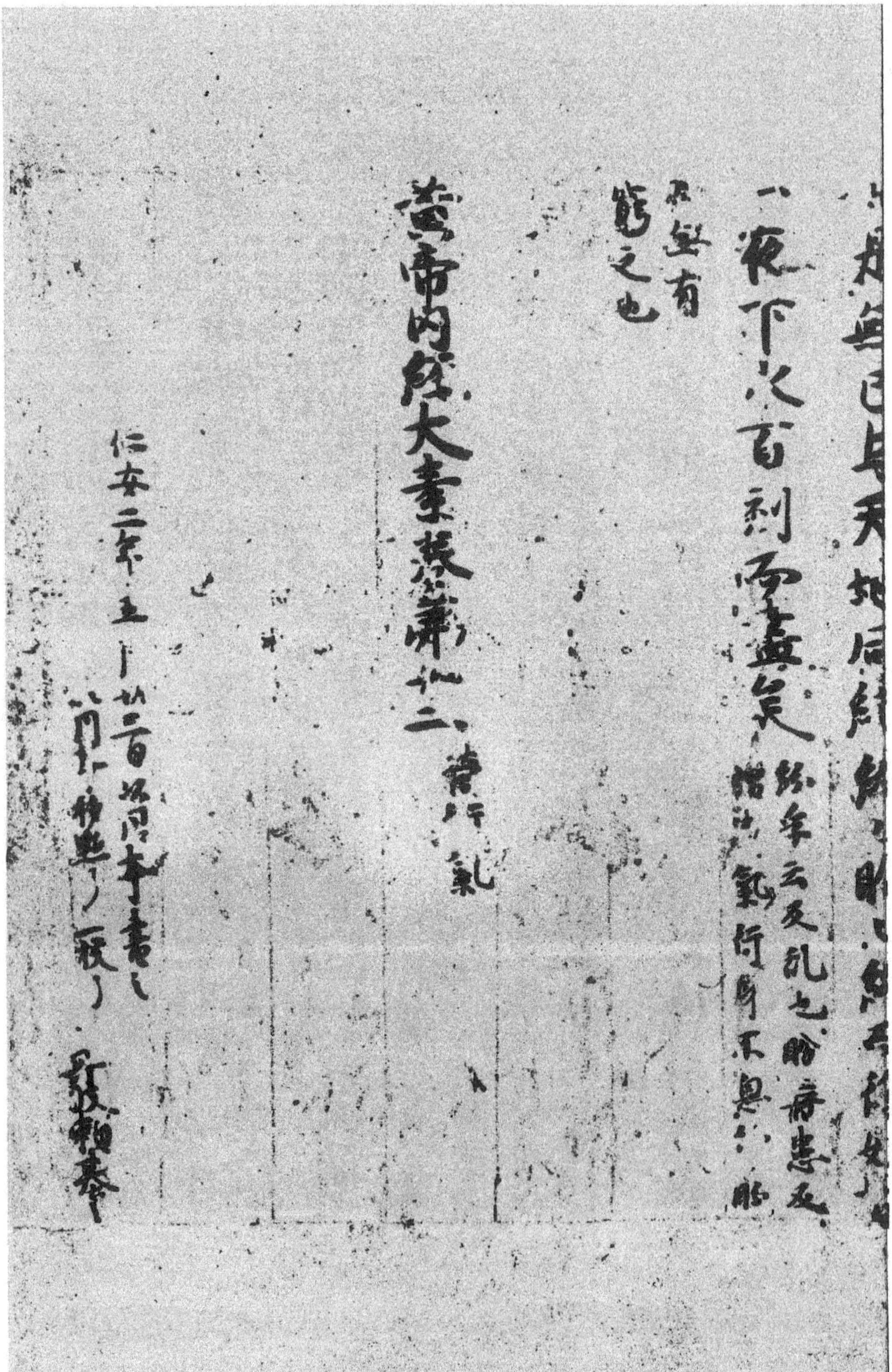
服無已與天地同紀
一夜下六百刻而盡矣 綿年云反亂也殆府患反 謂訖氣行周不息胳
不經有虧之也
黃帝內經太素卷第十二 營衛氣
仁安二年五月廿二日以同本書之
八月十一日移點了 一校了
丹波賴基

八月七日移點了 一校了 丹波頼基

本也

仁平四年五月廿三日以家本書寫移點畢

校合了

黃帝內經太素卷第十三

黄帝内經太素卷第十三

通直郎守太子文學臣楊上善奉勅撰注

經筋

骨度

腸度

脉度

經筋

足太陽之筋起於小指之上結於踝

上結於膝其下循足外側結於踵

循跟結於膕其別者結於腨外上膕中

內廉與膕中并上結於臀上挾脊上項其

支者別入結於舌本其直者結於枕骨上

頭下顏結於鼻其支者為目上網下結於

頭下顏結於鼻其支者為目上網下結於

頄其下支者從腋後外廉結於[肩]髃其支者

入腋下上出缺盆上結於完骨其支者

出缺盆邪上出於頄十二經筋與十二經脈俱稟三陰三陽行於手足故分為十二但十二經脈主於血氣內營五藏六府外營頭身四支十二經筋內行胸腹郭中不入五藏六府脈有經脈絡脈

䐃

筋有大筋小筋膜筋十三經筋起處與十二經脈流注並起於四末然所起處有同有別其有起維筋緩筋皆是大筋別名也十二筋起處循結之處皆撰為圖畫示人上具如別傳小推長謂曰推支上也結曲也筋行迴曲之處謂之結故經脈有郄筋有結也髃肩上也下結於頄頄中出氣之孔謂之鼻鼻也鼻旁顴謂之頄也

其病小

指支跟腫痛膕攣脊反折項筋急肩不

之中出氣之亂謂之亂也所欲謂之厥也　其

指支跟踵痛膕攣脊反折項筋急肩不

舉腋支缺盆紐痛不可左右搖　紐女巾反謂轉戾痛也

治在燔鍼劫刺　脉病言鍼灸之言筋病但言燔鍼者但鍼灸湯藥之道多通

療一曰病無所便以無偏用之要也　以知為數　所以雖知病差為鍼度數如痛筋痛一度劫刺不

差可三四度量其痛差為數也　以痛為輸　輸謂孔穴也言筋但以筋之所痛之處即為

孔穴不必要須依諸輸也以筋為陰陽氣之所資中無

有空不得通於陰陽之氣上下往來然入腠襲筋

為病不能移輸遂以病居痛處為輸故以筋者無陰無

陽無左右以候痛也明堂依穴療筋病者此乃依脉引

筋氣　名曰仲春痹　聖人南面而立上覆於天下戴

陽無左以右傍病也明實依穴療筋病者此乃㳂脉引
筋氣名曰仲春痺　聖人南面而立上覆於天下載
也各　於地懷法於道造化万物故人
法四時而生所以人身具然四大故正月即是少陽以陽
之微故曰少陽六月少陽以陽氣衰少故少陽二月大陽以其
陽大故曰大陽五月大陽以陽之大故曰大陽三月四月陽明二
陽相合故曰陽明十二經筋感於寒濕風三種之氣所生諸
病以痛為輸痺々燔鍼為當故偏用之　足少陽之筋
餘脉肉皮筋等痺所宜各異也
起於小指次指之上　小指次指　結外踝上循胻外廉
結於膝外廉其支者別起於外輔骨上走
髀前者結於伏兔之上後者結於尻　其支者起
外輔骨東有二支也故前支上結[illegible]

骨前者結於伏菟之上（別作）者結於尻　者起
（外輔骨即布二支也故前支上結　伏菟後支上走髀結於尻也）其直者上䏚乘季
脇上走腋前廉繫於膺乳結於缺盆（䏚音）
（䏚脇下也　以沼反）其直者上出腋貫缺盆出太陽之
（頷胡感反　頭作頞也）前循耳後上額角交巔上下走頷上結
於頄其支者結目外眥為外維其病
小指次指支轉筋引膝外轉筋膝不
可屈伸膕中筋急前引髀後引尻上
即少[illegible]筋肩[illegible]大[illegible]乳頭外維

可屈伸膕筋急前引髀後引尻上

即眇季脇痛上引缺盆膺乳頸外維大陽為目上綱陽明為目下綱少陽為目外維維筋急從左之右右目不

可開此筋本起於足至項上而交至左右目故左箱有病引右箱目不得開右箱有病引左箱目不得開也上過右角並蹻脈而行左絡於右

故傷左角右足不用命曰維筋相交治

在燔針劫刺以知為數以痛為輸名曰

孟春痺蹻脈至於目眥故此筋交巔左右下於目眥與之並行也筋既交於左右故傷左額角右

足不用傷右額角左足[illegible]

互者病，与之互行也，筋既交於太陽，故傷左額角右之，左傷右額角左足不用，以此維筋相交故也。足陽明之筋，起於中三指，結於跗上，邪外上加於輔骨，上結於膝外廉，直上結於髀樞，上循脅，屬脊。夫痺者，刺足陽明十指間，是知足陽明脈入於中指內間，厥氣三指俱有，故筋起於中指并中指左右二指，故中三指也。有本無三字。髖骨如膕髀，骨無髖，髀轉於中，故曰髀樞也。小異。其直者，上循骭，結於膝；其支者，結於外輔骨，合於少陽；直者，上循伏菟，上結於髀，聚於陰器，上腹而布，至缺盆而結，布環也，上頸，上挾

少陽直者上循伏兔上結於髀聚於陰
器上腹而布至缺盆結布謂分布也上頸上侠
口合於頄下結於鼻上合於太陽爲
目上綱陽明則爲目下綱其支者從頰
結於耳前大陽爲目上綱故得上眥動也陽明爲目下綱故得下眥動也
其病足中指支脛轉筋脚跳堅伏兔轉
筋髀前腫㿉疝腹筋急引缺盆頰口卒
僻急者目不合熱則筋施縱目不開寒則目綱
上下拘急故開不得合以熱則目筋……

[illegible]者目不合，熱則筋縱，目不開。巨經

上下徇急，故開不得合也。熱則上下緩縱，故合不得開。辟，吾役

頰筋有寒，則

急引頰移口；有熱則筋弛縱緩，不勝，故

僻。足陽明筋俠口過頰，故口頰筋緩，引口離常處也。不勝，謂熱不勝其寒，所以僻口移去，故為僻也。

治之以馬膏，膏其急者；以白酒和桂，以

塗其緩者；馬為金畜，剋木筋也，故馬膏膏筋急，急緊也。白桂酒性熱，故可療緩筋也。

以桑鉤鉤之，即以生桑灰置之坎中，高

下與坐等，以膏熨急頰，且飲美酒，噉

美炙肉，不飲酒者自強也，為之三拊

下以坐等以膏熨急頰且飲美酒噉
美炙不飲酒者自強也為之三拊而已治在
燔針劫刺以知為數以痛為輸名曰季
春痹以新桑木麤細如指以繩繫之鉤其緩挽急指仍於壁上為坎令與坐等於中生炭炭大以馬
膏塗其急頰循酒飲酒噉炙肉其寒溫如此摩拊飲噉酒之至三日得中平拊摩也音撫足大
陰之筋起於大指之端內側上結於內
踝其直者上結於膝內輔骨膝內下骨輔大
者長三寸半名為內輔骨也上循陰股結於髀聚於陰
器陰器宗筋上腹結於臍循腹裏結於

為內輔骨也上循陰股結於髀聚於陰
器陰器宗筋所聚也上腹結於齊循腹裏結於
脅散於胸中其內者著於脊循腹竟即引
脊也其病足大指支內踝痛轉筋痛膝
內輔痛陰股引髀而痛陰器紐痛上
引齊與兩脅痛引膺中與脊內痛治
在燔針劫刺以知為數以痛為輸名曰
仲秋痹七月足之少陰始起故曰少陰十二月手之少陰以其陰衰故曰少陰八月足之太陰以
其陰太故曰太陰十一月手之太陰以其陰正大故曰太陰九

仲秋痹
少陰以其陰衰故曰少陰八月足之大陰以
其陰太故曰大陰十一月手之大陰以其陰正大故曰大陰九
月足之厥陰十月手之厥陰更盡故曰厥陰八月之筋感三氣
之疾名曰筋痹有本以足大陰
為孟秋足少陰為仲秋誤耳
足少陰之筋起於
小指之下並太陰之筋邪走內踝之下結
踝与足大陰之筋合而上結於內輔之下
並太陰之筋而上循陰股結於陰器循脊
內俠膂上至項結於枕骨与足大陽之筋
合其病足下轉筋及所過而結者皆痛及
轉筋病在此者主癇瘛及痓在外者不

合其病足下轉筋及所過而結者皆痛及轉
轉筋病在此者主癎瘛及痓在外者不能
俛在内者不能仰故陽病者腰反折不能
俛陰病者不能仰瘛充曳反痓擎井反身强急也在此謂在足少陰也在小兒癎瘛在大人多痓頭背為外為陽也腹為內為陰也故病在背筋〻急故不得低頭也病在腹筋〻急不得仰身也
治在燔鍼劫刺以知為數以痛為輸在內
者熨引飲藥病在背膚筋骨外者可療以燔鍼病在腹胸內者宜行熨法及道引并飲湯液藥等也此筋折紐發數甚者死不治
其筋轉痛甚而可為燔鍼若

槩等也 此筋折紐紐發數甚者死不治

名曰孟秋痹 其筋轉痛難而可爲燔鍼若已已及 折也紐發足甚死而不療也人

陰之筋起於大指之上，上結於內踝之

前上循脛上結於內輔之下上循陰股結

於陰器結絡諸筋 足三陰及足陽明筋皆聚陰器足厥陰屬絡諸陰故陰器

名曰宗筋也之 其病足大指支內踝之前痛內輔

痛陰股痛轉筋陰器不用傷於內則不起

傷於寒則陰縮入傷於熱則縱挺不收治

在行水清陰氣其病轉筋者治在燔針劫刺

傷於寒則陰縮入傷於熱則縱挺不收

在行水清陰氣其病筋者燔針劫刺

以知為數以痛為輸名曰季秋痺婦人挽長為病

此丈夫挺不收為病陰氣即丈夫陰氣謂陽氣也陽氣虛故縮竝不收得陰即舍也手太陽之

筋起於小指之上上結於捥上循臂

內廉結於肘內兌骨之後彈之應於小指

之上上入結於腋下手小指表名上肘兌謂肘內箱央骨名曰兌骨應引也

其支者後走腋後廉上繞肩甲循頸出

陽

[illegible]

其支者後走掖後廉上繞肩甲循頸出

足太陰陽之筋前結於耳後完骨其支者入

耳中直者出耳上下結於頷含音叉上屬

目外眥其病手小指支肘內兌骨後廉

痛循臂陰入腋下腋下痛掖後廉痛繞肩

甲引頸而痛應耳中鳴痛引頷目瞑

良久乃能視臂臑內爲臂陰也瞑目閉也音眠頸筋急則為

筋瘻頸腫寒熱在頸者治在燔鍼劫刺

以知為數以痛為輸其為腫者復而兌之

筋痹至府寒熱存至者所右炊甚者[illegible]

以知為數以痛為輸其為腫者傷而氣之

其支者上出耳前耳前屬外目眥上頟

結於角其病當所過者支轉筋治在燔

鍼劫刺以知為數以痛為輸名曰仲夏

痹　筋瘻此之謂也筋瘻頸腫者皆是寒熱之氣也

故瘻寒熱筋瘻頸腫者可以鍼傷於氣骨[illegible]

應小指之屬氣之令盡氣失亂盡竭也或為傷復也[illegible]

手之少陽正月足之少陽五月手之太陽三月足之

太陽四月手之陽明三月足之陽明[illegible]五、少陽之

於此時感氣為病故曰仲夏季痹也

[illegible]

於此時感氣爲病故曰仲夏等痹也 手少陽之
筋起於小指次指之端結於捥上循臂
結於肘上繞臑外廉上肩走頸合手太
陽其支者當曲頰入繫舌本其支者上曲耳
循耳前屬目外眥上乘頷結於角其
病當所過者支轉筋舌卷治在燔鍼劫
刺以知爲數以痛爲輸名曰季夏痹〔曲頰 在頰〕
曲骨端足少陽筋循頰向曲頰後當曲頰入繫舌
本謂當風府下舌根後故風府一名舌本也
足陽明之筋起於中三指

本謂當風府下舌根流故風府一名舌本也
手陽明之筋起於大指次指之
端結於捥上循臂上結於肘外上
臑結於髃其支者繞肩甲俠脊直
者從肩髃上頸其支者上頰結於頄肩爲
肩角也音隅
又音偶也
其直者上出手太陽之前上
左角絡頭下右頷其病當所過者支
痛及轉筋肩不舉頸不可左右視治
在燔鍼劫刺以知爲數以痛爲輸

在燔鍼刼刺以知爲數以痛爲輸名孟夏痺其筋左右交路故不得右顧視今經言上右角絡頭下左頷或可但言一邊也

手太陰之筋起於大指之上循指上行結於魚後大指本名爲上循手向臂爲上行也行寸口外側上循臂結於肘中上臑内廉入腋下出缺盆結肩前髃上結缺盆至大陰脈行故在臑也肩端之骨名肩髃是則在後骨之前所肩前髃也下結胷裏散貫賁

足前所病前歲也

合賁下ヽ抵季肋藏府乃散於肺也其病當

所過者支轉筋痛甚成息賁若脅急

唾血治在燔鍼劫刺以知為數以痛為

輸息賁喘息肺之積名息賁在右脅下大如杯不愈令人洒淅振寒熱喘欬肺癰也

名曰仲冬痹十二月手之少陰七月足之少陰十一月手之太陰八月足之太陰十月手

心主厥陰九月足之厥陰筋於此時感氣為病名為仲冬痹也十二經脈足之三陰三陽配十二月手之三陰三

陽配甲乙等十數與此十二經筋不手心主之始

間良以陰陽之氣成物無方故耳

同良以陰陽之氣成物无方故耳

起於中指与太陰之筋並行結於肘内廉

上臂陰結掖下，下散前後俠脅其支者

入掖下散胷中結於賁結於賁膈也其病當所過

者支轉筋及胷痛息賁治在燔鍼劫

刺以知為數以痛為輸名曰孟冬痹

當此筋所過之處為痹此是所行之筋為病也手少陰之筋起於小指

之内側結於兊骨上結肘内廉上入掖交

太陰伏乳裏結於胷中循賁下系於臍

之内側結於兑骨上結肘内廉上入腋交

太陰伏乳裏結於胸中循賁氣賁謂膈當心輸下夾脊

也夫手太陰已伏於乳旁云裏然後結於胷之也下繫於臍其病内急

心承伏梁下爲肘網其病當所過者則支

轉筋筋痛治在燔鍼劫刺以知爲數以

痛爲輸其成伏梁唾膿血者死不治心之積名

曰伏梁起齊上如臂上至心下其筋循膈下齊在此痛下故曰病也人肘屈伸以此筋爲網維故曰肘網也

經筋之病寒則筋急熱則施縱不收陰

凡十二經筋寒則急

經筋之病寒則筋急熱則筋弛縱不收陰痿不用也凡十二經筋寒則急熱則縱不用之也陽急則反折陰急則俛不伸人背爲陽腹爲陰故在陽之筋急者反折也在陰之筋急則俛而不伸也焠刺者刺寒急熱則筋縱毋用燔針焠于内反謂燒針刺之也問曰熱病皆有所炙筋熱爲病何以不用火鍼答曰皮肉受於熱病脈通而易故須行炙筋自受病通之爲難寒熱自在於筋病以痛爲輸不依餘輸也名曰季冬痺經筋之病下總論十二經筋此之一句屬手少陰筋之也足之陽明手之太陽筋急則口目爲僻目眥急不能卒視皆如右方聆手太陽有耳中鳴引頷目

卒視治皆如右方 聆手太陽有耳中鳴引顧曰瞑之言無也目障不可引顧所曰目障也，皆用前方寒志焠，刺也

骨度

黃帝問伯高曰：脈度言經脈之長短，何以立之也？脈度，謂三陰三陽之脈所起之處，但不知長短也。伯高荅曰：先度其骨節之小大廣狹長短，而脈度定矣。人之皮肉可肥瘦增減，骨節之度不可延縮，故欲定脈之長短，先言骨度也。黃帝問曰：願聞眾人之度，人長七尺五寸者

延絡，故欲定脉之長短，先言骨度也。黄帝曰：

願聞衆人之度，人長七尺五寸者，其骨

節之大小長短各幾何？聖人、賢人及天別者，分者之外，衆人之骨

度量多同，故請衆人之度度。

請中度之人大小長短也。伯高答曰：頭之大骨

圍二尺六寸，衆人之中又高三等，七尺六寸以上名為大人，七尺四寸以下名為小人，七尺五寸

名為中人。今以中人為法，則大人小人皆以為定。何者？

取一合七尺五寸人身量之，合有七十五分，則七尺六寸以上

大人亦准為七十五分，七尺四寸以下乃至嬰兒，亦准七十五

分。以此為定分，立經脉長短，并取空穴，自頸項骨以上

為頭顱骨，以為頭大骨。胸圍四尺五寸，缺盆以下髑骬

也。審其廉義以繩圍也。

以上為胸。當廿一椎骨義于處

也，穹其廣陿以繩圍也胷圍四尺五寸下髑骭

以上至胷當中圍也腰圍四尺二寸當廿一椎脊背之中圍也髮所覆

者，顱至項長尺二寸項顱骨取髮所覆之處前後量也髮

以下至頤長一尺，君子參折髮際以下至頤端量之丁丁

尺以而分中分為三，三分謂從髮際至子三分臍等与衆人不同也參三也結喉以下至

缺盆中長四寸頭諸證當結喉端也，結喉至缺盆中，取上下量

缺盆以下至䯏骭長九寸從缺盆中至䯏骭端際量也

過則肺大，不滿則肺小心肺俱在胷中，心后肺偏故不言大小也

䯏骭以下至天樞長八寸天樞俠臍故至䯏

過則肺大不滿則肺小肺間故不言大小也

䯏骭以下至天樞長八寸天樞俠臍故並䯏骭下但八寸

過則胃大不滿則胃小八寸之中亦有脾藏以其胃大故但言胃大小

天樞以下至橫骨長六寸半過則迴腸

廣長不滿則短橫骨謂陰上橫骨迴腸大腸也大腸當齊小腸在後附脊齊上故不言之也

橫骨長六寸半橫量非數下至內輔

之上廉長一尺八寸內輔膝下內箱骨輔脛之也內輔之上

廉以下至下廉長三寸半內輔骨長三寸半也內

輔之下廉以下至內踝長一尺三寸內踝

廉以下至下廉長三寸半三寸半也内
輔之下廉以下至内踝長尺三寸内踝
以下至地長三寸内踝端至地也膝膕以下至跗
屬長尺六寸跗屬以下至地長三寸從膝
以下當膝出處量也故骨圍大則太過小則不及
故頭骨圍大則並於身骨頭骨圍小不及身骨也角以下至柱骨長
一尺缺盆左右兩上下高骨名曰柱骨從額角至其柱骨端合有一尺与頭端齊也計柱骨上下長四寸雖不言
也行腋中不見者長四寸腋平而行取腋一寸不見腋以上至柱骨四寸也
腋以下至季脇季脇曰季脇

〻〻腨中不見者長四寸 虛以上至桂骨四寸也

腋以下至季脅長尺二寸 季肋曰季脅 季脅

下至髀樞長六寸 凡髀二骨相接之處名曰髀樞 髀樞

以下至膝中長尺九寸 當膝側中 膝以下至

外踝長尺六寸 至外踝之中也 外踝以下至京

骨長三寸 京骨以下至地長一寸 外踝下也前高者

名曰京骨 耳後當完骨者廣九寸耳前當耳

門者廣尺三寸 頭顱周也二尺六寸耳後完骨相去九寸耳門相去尺三寸今

[illegible]圍二尺二寸小一寸者各取完骨之前至[illegible]

門者廣尺三寸 去九寸耳門相去尺三寸故
有二尺二寸小四寸者各取完骨之前至耳二寸兩
頰谷有四寸并前節有二尺六寸經不言之也 兩
顴之間相去七寸兩乳之間廣九寸半兩
髀之間廣六寸半 兩顴宜小取其 端兩髀取中也 足長尺二
寸廣四寸半 取足中指至足跟端量之以取長也 以足上更中前處横量之以取廣也 肩
至肘長尺七寸 從肩端至 肘端量也 肘至腕長尺二
寸半 肘端至腕腕者 臂手相接之處 腕至中指本節長四
寸 指有三節此為下 節故曰本節 本節至其末長四寸
從本節端至中指末合四寸半今人取手太指之[illegible]

節故曰本節

從本節端至中指末，合四寸半。令人取手大指以為第一節為寸，以定鍼灸分寸焉，不相當也。

項髮以下至膂骨長三寸半膂骨，脊骨，從髮際下三寸脊骨量之也

膂骨以下至尾骶廿一節長三尺每七節長一尺也，故廿一節長三尺也。下文具之

上節長一寸四分分之一，分在下舉上一節以為例，餘皆同也。分之一為一寸之外更有餘分之一也。其實則七分分之三也之

故上七節下至於膂骨九寸八分分之七謂七節之數也

每節一寸四分分之一，故七節備九寸八分分之七，其實也。何者？每節餘分七分分之二，七節有餘分十四分，以十四

十四得二分分之并九

也。何者每節餘分七分之二，七節有餘分十四分寸之十四得二分之二，并九寸八分，故為一尺也。此衆人之骨度也。所以立經脈之長短也。此為衆人骨度多同者，為唯以立經脈長短也。是故視經絡之在於身也，其見浮而堅者，其見明而大者，多血，見而浮堅者絡脈也，見而明者血盛也。細而沉者少氣也。細而沉者少氣，小血或作多氣也。

隱度

黃帝問伯高曰：余願聞六府傳穀者，腸胃之小大長短，受穀之多少奈何

黃帝問伯高曰余願聞六府傳穀者

腸胃之小大長短受穀之多少奈何 六府傳穀者自於穀氣膽不受於穀故三腸及胃傳穀膀胱傳精粕者行穀之要故腸胃有長短之別者

伯高

答曰請盡言之穀之所從出入淺深遠近

長短之度 黃帝問六種已外更請說一種故曰盡言之也穀所從口曰入從口入胃曰出齒至胃爲淺從咽至腸曰深穀至於胃曰近從胃以下曰遠腸十六曲曰長咽門一丈六寸曰短也

脣至齒長

九分口廣二寸半齒以後至會厭深三寸

半大容五合 會厭舌後喉嚨上出氣入鼻口之孔上有肉厭蓋孔開闔氣之出入之門

[illegible]七二寸半受之 咽會厭後下食於胃

半大容五合 符肉厭蓋孔咽嚨氣之出入之四

咽大二寸半長六寸 咽會厭後下食於胃之 下至胃長一尺六寸

曲屈伸之長二尺六寸大五寸徑五寸大

容三斗 胃中央大而頗少伸而疏之二尺六寸也圍有 一尺五寸曰大量徑有五寸也容決餘三斗也

小腸後傅脊左環葉積其注於迴腸

者外傅於臍上迴運環反十六曲大二寸

半徑八分分之少半長三丈二尺 傅附也傅 猶後胃傅

少少腸少附脊脊 注迴腸於臍上也 迴腸當臍左環迴周葉積

而下迴運環反十六曲大四寸徑一寸寸之

注迴腸於齊上也 迴腸當齊左環迴周葉積

而下迴運環反十六曲大四寸徑一寸少半寸

長二丈一尺 迴腸大腸也小腸附脊而在後大腸近齊而在前故大腸輪在上小腸輪在齊下也

廣腸傅脊以受迴腸左環葉積上下辟

大八寸徑二寸大半寸長二尺八寸 廣腸[illegible]附脊以受大腸

糟粕辟者積也謂白腸當中寬八寸上受大腸之處下出泄處皆徑有二寸半總長二尺八寸也 腸胃所

入至所出長六丈四寸四分 咽已上口為所入廣腸已下以為所出皆為

相去九分為与會厭相去三寸半會厭至胃咽長一尺六寸胃之終始長二尺六寸小腸終始長三丈二尺廣腸終始長二尺八寸總有

六丈四寸[illegible] 胃有五小腸十六曲大腸[illegible]

之終始長二尺六寸小腸終始長三丈二尺廣腸終始長二尺八寸皆

六丈四寸四分也 其迴曲環反卅二曲 胃有五小腸有十六大腸有十一 並合而言之故有卅二曲

大腸經不入其數故七尺併言長者 以七尺五寸處之人以為準也 黃帝曰願聞人之不食

七日而死其故何也 七日不食而死餘時之言願聞腸 胃之大小知所盛水穀多少為盡其

[illegible]之也 伯高曰臣請言其故胃大一尺五寸徑五寸

長二尺六寸橫屈受水穀三斗其中之穀常留

者二斗水一斗而滿 數事所出此數合者上職論 五升兩者胃中之數

氣出其精微慓悍滑疾 上焦之氣從胃上口而出 其氣精微慓悍滑疾

晝夜行身五十周 下焦下溉諸腸 下焦別迴腸注[illegible]

氣上至[illegible]中[illegible]其氣精發熛悍滑疾

晝夜行身五十周行衛氣也　下膲下溉諸腸　下膲別迴腸注於膀胱屢屢滲出

下溉諸腸膀胱為黑腸及廣腸善也　小腸大二寸半徑八分分之

少半長三丈二尺受一斗三合合之大半[illegible]

穀四升水六升三合合之大半　[illegible]為太半

半之之　迴腸大四寸徑一寸寸之少半長二丈[illegible]

受一斗七升升之半穀一斗水七[illegible]

之半　升之半升也　廣腸大八寸徑二寸大半寸

[illegible]

之二之外也廣腸大八寸徑二寸寸之大半長二[illegible]

尺八寸受九升三合八分合之一 廣腸受水穀[illegible]

之長凡長六丈四寸四分受水穀六斗六升

六合八分合之一此腸胃所受水穀之數 計[illegible]所

受之數垂亦之手合之太半也 平人則不然胃滿則腸虛腸滿

則胃虛更滿更虛故氣得上下 腸胃之[illegible]所輸[illegible]

數若言生平之人則腸胃之中盈虛更起不得一概則有[illegible]也食滿胃中則胃實腸虛也[illegible]故氣得下也精入腸中

則胃虛腸實也胃虛故氣得上也以其腸胃盈虛氣得上下之也 五藏安定 [illegible]故[illegible]也

穀受穴穀之氣故精[illegible]也五[illegible][illegible]

也以其腸胃皆虛氣得上下之也五藏安[illegible]故安定也欲受水穀之氣故須虛也氣味內和故五藏安定也血脈和利氣以流行下故脈和利精神乃居藏安脈和則五神五精各居其藏也故神者水穀之精氣也水穀精氣故五神以穀[illegible]竭神乃已也故腸胃之中常留穀二斗四升水一斗一升計腸胃所受六斗六升六合八分合之一據其盈虛在人常有三斗五升也故平人日再後ゝ二升半一日中五升七日五七三斗五升而留水穀盡矣每後五升還須資食令有三斗五升若一日不食後五升者則少五升也君七日常後七日不食則五七三斗五升皆盡故平人不飲食七日而死者水穀精氣津液皆盡故也

不食則充七三斗五升皆盡[illegible]

而死者水穀精氣津液皆盡矣故七日

而死矣 命門所藏謂之精也上焦出氣宣五穀味熏膚充身澤毛如霧露之溉是謂之氣腠理發泄汗出謂

之津穀氣淖澤注於骨〻屬屈伸淖澤補益腦髓皮膚潤澤謂之為液水穀既盡精氣津液四〻所以盡故七日死

脈度

黄帝問曰願聞脈度 先言骨度及腸胃度小長短於次言以論諸脈長短故須問之也

岐伯荅曰手足之六陽從手至

頭五尺 手陽明大腸脈也手太陽小腸脈手少陽三焦脈也三脈各在兩手故有六脈餘放此者

脈營行次第手之三陰從足之三陽皆從内趣向於手

前五尺雖脉也。手脉行在兩手，故有一脉餘，故此爲

脉營行次第，手之三陰從之三陽，皆從内起向外走

足，手之三陽足之三陰，皆從外走向頭腹，此數

足之脉長短，故皆尺。手足向外數，亦与

脉十二經流注，入身數之同也。

五六三丈

計手六陽從指端至目，脩骨度宜得

有五尺不取，端隨并下入腹，皆屬陽胃者

脩骨度爲數，去其隱迴行

者，及与丈別，故有三丈也。

手之六陰從手至胸中

三尺五寸，三六丈八尺，五六三尺，

手太陰肺脉也，手

去心肥胳脉也。手之三陰，皆並脩骨度從手至胸

五寸不取，下入屬藏，胳府之者，并陰從胸至手，同長

變別者，凡二丈一尺。足之六陽從足至頭八尺

亡不取

足陽明胃脉也，足太陽膀胱脉也，足

亦不取凡二丈一尺足之六陽從足至頭八尺[illegible]

四丈八尺足陽明胃脉也足太陽膀胱脉也足少

陽脉也討人骨度從地至頂七尺五寸

八尺者何以知是六陽脉從足指端至頭

五寸故有八尺也亦不取府氣及支別者足之六陰從足

至胸中六尺五寸六六三丈六尺五六三尺

足少陰腎脉也足厥陰肝脉是六陰脉從足

寸太陰少陰俱至舌下厥陰至頂及入藏中寸

也數之凡三丈九尺蹻脉從足至目七尺五寸亦

尺二五一尺蹻有陰陽二蹻也從厥陰處長短是四

也據中人長七尺五寸二尺者此根中也

七尺五寸者為合數此二蹻並同內蹻足太陽合上行

胳左右顛首故得合數於足少陽動脈相知也凡

督脉任脉各四尺五寸[illegible]

脉左右鞮前，故得合數。檢足少陽筋所知也

督脈任脈各四尺五寸，二四八尺，二五一尺

上行至頭。任脈從臺兩目之下。督脈上行至頭顛上

極䏢行，所以長与任脈不同。若爲俱有四尺五寸，此訓不

外循腹上行，而絡脣口者，皆此脈。督脈是從下極之俞

於脊，脊上至風府者，以取四尺五寸之數，餘不入數。

凡都合十六丈二尺，此氣之大經隧也。

裏，支而橫者爲絡，絡之別者爲孫絡。

血者疾誅之，盛者瀉之，虛者飲

補之。人之血脈上下從者爲經，支而橫者爲絡。

足左右各有十二，合廿四脈，陰蹻陽蹻任督

廿八脈。在脣口[illegible]任脈一十五絡[illegible]

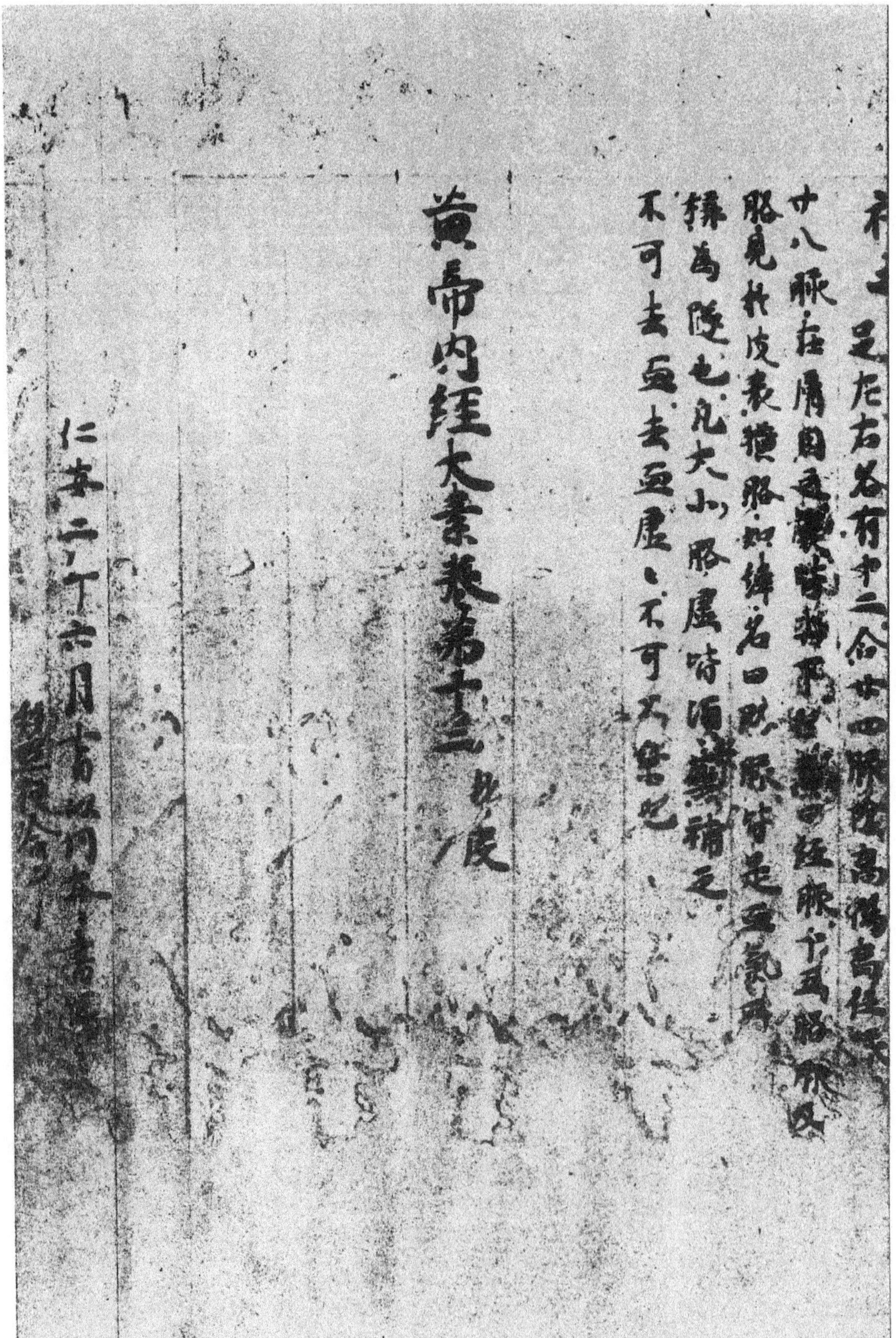

[illegible]
足左右各有十二，合廿四脉，[illegible]高[illegible]
廿八脉，在膺間[illegible]，[illegible]經脉，十五絡脉及
絡見於皮表，謂絡，如縷，名曰孫脉，脉皆是血氣[illegible]
[illegible]為隧也。凡大小絡虛時，須[illegible]補之，
不可去血，去血虛々，不可又[illegible]也。

黄帝内經太素卷第十三 [illegible]

仁安二年丁亥六月十日以同本書寫[illegible]

仁安二年六月十日以同本書寫之
移點校合了　　基

本云
久壽二年四月一日以相傳本移點比校了

黄帝内經太素卷第十四

之後代言其術之要貽之於將來也著之肓[illegible]
言貴而秘之歃血而受不敢[illegible]時月擇吉爲歃也言[illegible]之誠也令
合天道必有終始所爲學理時隨變而益上應天光星辰
曆紀合於[illegible]下副[illegible]五行貴賤[illegible]順氣而變冬
陰夏陽以人應之奈何願聞其方請人同其數凌
伯對曰妙乎哉問也此[illegible]之[illegible]人前陰文
天地至極之數也黃帝曰願聞[illegible]地[illegible]多
血氣通以[illegible]

之數也黄帝曰願聞大[illegible]

血氣通以決死生為之奈何皇請人之合通之數也岐伯對

曰天地之至數始於一終於九焉一者天二

者地三者人因而三之三〻者九以應九

野言三〻以有三數合於九野也故人有三部〻各有三候以決

死生以處百病以調虚實

人身分為三部〻各有三數為以決死生因之以候〻病〻調虚

岐伯對曰有下部有中部有上部〻各有三〻

候〻者有天有地有[illegible]

以人數而有下部有中部有上部部各有三
候候者有天有地有人必指而導之乃以為
真詳於[illegible]身以導九候所候之處也故下部之天以候肝地以候腎
人以候脾胃之氣身為三部頭為天也咽下胸上至手為人胸下至足以為地也[illegible]之中各有方
三故有九處地中之上所為天也足厥陰脈為[illegible]之下腎以地也足少陰脈為[illegible]
人也足大陰脈足陽明脈為人以候[illegible]脾府也胃為五藏資糧故在胃候[illegible]根之也黃帝曰中
部之候奈何岐伯對曰亦有天亦有地亦有人
天以候肺地以候胸中之氣人以候心人中之上肺為天也手
太陰脈為天以候肺藏也人中之下胸中之氣以為地也

手所作肝土所作胃中之氣人所作心為天也手

太陰脈為天，以候肺藏也。人寸之下背中之氣，以為地也。

手陽明為地，以候胸中氣，陰之氣手陽明脈之發

首二紙缺

謂胸中氣也。又虛之中，心為人之主，手少陰脈人以候心氣也。

何伯對曰：亦有天，亦有地，亦有人。天以候頭角之氣，地以候口齒之氣，人以候耳目之氣。天中之上頭角之氣，以為天也。兩額動脈為天，以候頭角之氣。頭角諸是頭兩額角也。足陽脈起目下上，根角足陽明脈足上關上廉諸髮際二脈皆至額顱，明堂經雖不言脈動，而唯有此二脈也。故知兩額動脈以候

藏。其目〻〻上，上損角之陽明脈從上關上[illegible]脈皆至額

義明堂經雖不言脈動，然氣推有此二脈也，其上[illegible]動脈諸候

頭角之氣，所知此二脈動也。天人兩角並有動[illegible]信也。天中之

下，口齒之氣，以為地也。兩頰動脈正地，以候口齒之氣。[illegible]陽明脈之

頭，後動在大迎之中，脈動[illegible]文，以為候也。天人之者

為人也。耳前動脈為人，亦作[illegible] [illegible]

少陽之脈會於耳前[illegible]作[illegible]

者各有天，各有地，各有人，三而成[illegible]為地三

而成人，合則為九。人身分為三部，頭上法天，天有三部；從脾以下法地，地有三部；胸中[illegible]法人，人有三部。故合有九之也。

九分為九野，九野為九藏，故神藏五，形藏四，故

為九藏。謂天春秋[illegible]天有九野，中央曰鈞天，東方曰蒼天，東北方曰旻天，北方曰玄天，西北方曰幽天，西方曰顥天，西南方

朱天，南方曰炎天，東南方曰陽天，是謂九天[illegible]

故九野篇曰：昊天北方曰玄天，西北方曰鈞天，西方曰皓天，西南方
朱天，南方曰炎天，東南方曰陽天，是謂九天，各合九野，以為
藏，故以形藏以為九野ゝゝ分也。蓋藏ゝ神藏
膀胱主藏水穀，不同三焦，完穀故藏。
其於人四藏，又頭角一，口齒二，耳目三，五藏其形各藏其身，故曰
形藏之四，合五神藏，合為
九藏，以為九野也。五藏以敗，其色必夭，夭必死矣。
人之為形，譬諸草木，根莖衰殘而
枝隨之，五藏將敗，是知必死之號矣。黃帝曰：以候奈何？岐伯曰：
必先度其形之肥瘦，以調其氣之虛實，實則
寫之，虛則補之。必先去其血脈，而後調之，無問
其病，以平為期。已未發藥，肥而實者須寫之，虛也。
調而調之，補寫之術也。
然後行於針 [illegible]

其病以手[illegible]其調而補之補寫之前[illegible]入脉中

彼後行於針藥補寫道也 黄帝曰決死生[illegible] 岐伯對曰形

盛脉細少氣不足以息者危 形瘦脉大

胷中多氣者死 欲於死生危有十[illegible]其形[illegible]脉三部之脉並皆細小仍足中氣

少不足以息是形勝氣其人喘令是危一也其形痛瘦

三部脉皆麻大膻内 吁及氣多是氣勝形為死二也

形氣相得者生 形盛氣盛形瘦氣細者得生三也 參伍不調者病

謂其人形氣有時相得有不相得[illegible]藥攝 以三[illegible]

品以不能調者其人有病四也

皆相失者死 三部九候不得相應一[illegible] 上下同相失故死五也 上下[illegible]左右之脉

同應如參舂者病甚 三部九候之脉動若引繩[illegible]

者相失者死ヽ下同相失者死五也九候之相

應如參舂者病甚三部九候之脈動若引繩ヽ而齊後七參ヽ三部ヽ位須為上三部在足為下ヽヽ三部為左右手ヽ部為九脈之相應參動上下左右更起更ヽ息ヽ有手來如碓舂不得齊一又言其脈ヽ下參動也衰參更所以病甚六也上下左右相失不可數者死上下左右脈數各要誅ヽ

數動脈不可得者脈亂故死七也中部之候雖獨調與衆相

失者死肺心膈中ヽ為中部ヽ手太陰手陽明手少陰脈三脈調知與ヽ上下ヽ部ヽ藏之脈不相得者為死八也中部

之候相減者死中下手太陰手陽明手少陰三脈也數ヽ多一少一不相同ヽ者為ヽ之故

目內陷者死五藏之精守在於目故五藏敗者並目先陷為死也以上十候決死生也之黃帝曰

何以知病之所在病之所在ヽ於死生當決死生求要時

內陷者死先陷為死也以上十候決死生也之言

何以知病之所在病之所在知之於死生與決死生者不易也但決有之端故須問也岐伯對

曰察其九候獨少者病獨大者病獨疾者

病獨遲者病獨熱者病獨寒者病脉獨

陷者病以決復有一十八候獨小大等所為七也九候之脉上下左右皆澀是一故獨者為病耳也

以左手上去踝五寸而按之右手當踝而

彈之其應過五寸已上需然者不病須知調也人當

內踝之上足太陰脉見上行至內踝上八寸足厥陰云從

其脉行胃氣於五藏故於踝上五寸以左手按之右手當

踝彈之入手下需調動其人不病為

其脈行者氣於五藏故於踝上五寸以左手按之右手當踝彈之二寸乃手下蠕蠕動其人不病爲候八也蠕蠕動不盛也蠕而更又其應疾中手渾渾（音[illegible]動盛也）然者病彈之應手之下渾渾動而不調者病甚候九也中手徐徐然者病其應上不能至五寸者彈之不應者死足太陰之氣微弱彈之遲遲者有病不至五寸不應其手者爲死十也脫肉身去者死去者行也然内氣衰身弱不能行者爲死十一也中部乍疏乍數者死中部謂手太陰手陽明手少陰衰有疏數爲死十二也其脈代而鉤者病在絡脈中部之脈手太陰秋脈少陰脈也秋脈王時得於夏脈上來乘金者曰虛邪故爲病也夏脈王時得秋脈者是土來乘火也

者非右胕胕脈也秋脈王時得[illegible]脾脈之來乘金若
曰虛邪故為病也夏脈王時得脾脈若者之來乘火若
曰實邪故為病也脈真病皆在絡脈可刺去血為
病十三也九候之相應也上下若一不得相失一
候後則病二候後則病甚三候後則
病危所謂後者應不俱也察其病藏
以知死生之期九候上下動脈相應若一不得
息數八候相應俱動一候不應所不
一失失病一候在後不与七候俱動所為二失故病甚
之三候在後不与六候俱動所為三失故病危也三候
在後為病宜各察之是何藏之候之之所知所候之藏
病有間甚死生之期三候在後為病有三失為十六也

病有間甚死生之部三候在陵為病有三失為十六也

必先知經脈然後知病脈真藏脈見勝者

死識脈九候察病意須先知十二經脈及諸絡脈行所在然後取於九候之諸病脈有真藏脈無胃氣之

柔滑勝必當有死為十七也足太陽氣絕者其足不可

屈伸死必戴眼足太陽脈起目絡頭至足故其脈絕則不屈伸戴目而死為十八也

黄帝曰冬陰夏陽奈何九候之脈並沉細絕微為陰也然盛於冬分

故曰冬陰九候之脈盛躁喘數故為陽也盛於夏分故曰夏陽請陳其理也岐伯對曰九

候之脈皆沉細懸絕者為陰主冬故以夜

[illegible]死躁按躁之曰[illegible]動[illegible]則脈曰細来細斷[illegible]

候之脈皆沉細懸絶者為陰主冬故以夜

半死深按得之曰沉動微引脈曰細来如斷繩故曰懸絶九候之脈皆如此者陰氣勝陽氣

陰氣獨行有裏无表死之於冬陰大時也夜半死者陰極時也此一診也之盛躁喘

數者為陽主夏以日中死其氣洪大曰盛去來動疾曰躁因喘

數而疾故曰喘數九候皆如此者皆陽氣勝陰竭內泆陽氣獨有表無裏死之於夏陽極時也日中死者

陽極時也此為二診是故寒熱者以平旦死脾病寒熱死於平旦〻〻木也木尅於土故脾病至平旦死此

為三診也熱中及熱病以日中死肺中熱傷寒熱病皆是陽

病故死於日中陽盛時也此為四診也風病者以日夕死賊肝氣

酉為金時金尅於木故[illegible]水

時也，以為四餘也。肺病者，以夕死。肺為金，時含於木，故日夕死，此為五餘也。病水者，以夜半死。水病陰病也，夜半子時陰極死也，此為六餘。其脈乍踈乍數，乍遲乍疾，以日乘四季死。脈者土也，土主於四季，于如時脈在中宮靜而不見，有病見時乍踈乍數，故以日乘四季時死也。形肉已脫，九候雖調，猶死。上為形也，肉為身也，並脫，故脈雖調，肉肌故死，此為七餘也。七診雖見，九候皆順者，不死。所言不死者，風氣之病及經間之病，似七診之病而非也，故言不死。

經間之病似七診之病而非也故言不死
若有七診之病其脈候亦敗者死矣必
發噦噫　雖有七診死徵死候之脈時四時者猶之
不死言七診見脈順生者謂風及氣并經
脈間有輕之病見證似於七診非其七診所以脈順得
生若有七診其脈復敗不可得生五藏先壞其人必
發噦而　必審問其故所始所病今之所
死也
方病　候病之要凡有四種一者望色而知謂之神也
二者聽聲而知謂之明也三者尋問所苦謂之
工也四者切脈而知謂之巧也此問有三一問得病元始謂
問四時何時而得飲食男女何病壽二問所病謂問寒
熱痛熱痛癢諸苦等三問方病　而後切循其脈
謂問今時病將作種異也
先問病之所由然後切脈其經以取其審切謂一割

謂聞今病將作種種異也　而後切循其脈
先問病之所由然後切脈其然以取其審切謂以割
以手按脈分割吉凶循謂以手切脈以心循歷脈動所
由故曰切循
其脈也
視其經絡浮沉
經謂十二經并八
奇經絡謂十五大
絡及諸孫絡切循之道視其經脈浮沉絡脈以
浮沉沉者為陰浮者為陽以知病之寒溫也以
上
下逆順循之其脈疾者不病其脈遲
者病脈不往來者死皮膚著者死
上謂
上部
下謂下部太上謂咽之左右下謂手之左右寸口脈
從藏起下向四支者名之為順脈從四支上向藏者
稱之為逆切循上下逆順之脈疾行應數謂之不病
上下有此遲不應數謂不歸也手之三陰為往三
陽為來足之三陽為往三陰為來皆不往來者

上下有次逆不遠數謂不歸也平之一陰為往三
陽為來足之三陽為往三陰為來皆不往來謂之
死也人之氣和皮肉相離絶勁強相著者死也

黄帝曰其可治者奈何 前帝所言多有死候故問有病可療三者也

岐伯對曰經病者治其經孫絡病者治其

孫絡 以下言有可療病必取在經者取其經邪在孫絡取孫絡也 血病身有

痛者而治其經絡 大經大絡共為血病身體刺者經與大絡皆治之也

其病者在奇邪奇邪之脈則繆刺之 真也當藏自受邪病不從傳來致回而病奇邪謂是大經之上奇大絡也宜行繆刺左右平取也 靈樞

則留久也久癈有病之人

是大經之上奇大絡也，宜行繆刺，左右互取也。經刺

不移節而刺，留久也，久瘦有病之人不可頻刺，可節量刺之。上實下

虛者，切循之，索其經絡脉，刺出其血，以通

之。上實下虛，可循其經絡之脉，血之盛者，皆刺去其血，泄而平之。瞳子高者，

太陽不足，戴眼者，太陽絶也，此決死生

之要，不可不察也。太陽之脉為目上綱，故太陽脉足之則目本視也，其氣不足，

急引其精，故瞳子高也；其脉若絶，睛精瘥下，故戴目也。此等時是決死生之大要，不可不察也。手

指及手外踝上五寸指間留鍼。前太陽不足及足太陽絶

者，是太陽脉也，此療乃是手太陽脉，從手之大指上

指乃手外踝上五寸大陽□□及足大陽絡
者足大陽脈也此療乃是手大陽脈揔取手之大陽　上
下樣於目之内眥眥取手之大陽療目高戴也取手
小指端及手外踝上上部天兩額之動脈也
五寸小指之間也
上部地兩頰之動脈也上部人耳前之
動脈也上部之天兩額足少陽〻明二脈之動候頭角
氣上部之地兩頰足陽明在大迎中動候口
齒氣上部之人同後耳前手大陽手少陽足少陽三脈
在和髎中動候耳目之氣也
中部天手大陰也中部地手陽明也中
部人手少陰也中部之天手大陰脈動在中府
天府侠白尺澤〻處以候肺氣
中部之地手陽明脈檢經無動處呂廣注八十一難云

吾人太陰也　天府候白尺澤也處以候肺氣
中部足地手陽明脉檢經無動處呂廣注八十一難云
動在口邊以為候者作大腸氣中部之人手少陰動
在極泉少海二處以候心氣也　下部天足之厥陰也下部人足之太陰也　下部之天足厥陰脉動在曲骨行間衝
門三處以候肝氣下部之地足少陰脉
動在大谿一處以候腎氣下部之人足太陰脉動在中
府箕門五里陰廉衝門雲門六處以候脾氣十二經脉
手心主無別心藏不入九候手大陽手少陽足大陽足
少陽足陽明此五皆是五藏表經候藏之處故不入數　近六
九候也

四時脉形

黄帝問岐伯曰春脉如弦何如而弦岐伯曰

四時脉形

黄帝問岐伯曰春脉如弦何如而弦岐伯曰春脉者肝脉也東方木也萬物所以始生也故其氣來濡弱軟虚而滑端直以長故曰弦反此者病凡人之身與天地陰陽四時之氣皆同故内身外物雖殊春氣俱發肝氣春王故春脉來比草木初生其若琴弦之調品者不大緩不太急不大虚不大實不濇不滑肝氣沖然濡潤柔弱軟小浮虚輕滑端直而尺部之上長至一寸故比之弦數如遍反黄帝曰何如而反岐伯曰其氣來實而强此謂太過病在外其氣來不實而微此謂不及病在中其春脉

此仁□□□□□□此謂太過病在少□

氣來不實而微，此謂不及，病在中。其春脉堅實動，直名爲來實而強，此爲春脉少陽有餘，邪在膽府少陽，故在外。一曰而弦，疑非也。其春脉厥陰脉來雖微不實而更微弱，此爲不足，邪在肝藏厥陰，故曰在中也。黃帝曰：春脉太過與不及，其病皆何如？岐伯曰：太過則令人善怒，忽忽眩冒而巔疾；春脉太過，汲邪在膽少陽。少陽之脉循脅裏，屬膽，散之上肝，貫心，又極頭上頭，故善怒，忽忽眩冒而巔疾也。其不及則令人胸痛引背，下則兩脇胠滿。黃帝曰：善。□□肝虛則胸痛引背，兩脇胠滿，皆肝藏病也。胠

胷痛引背下則兩脇胠滿黃帝曰善

哉肝虛則胷痛引背兩脇胠滿皆肝藏病也胠去居反腋下三寸以下胷脇下至八間之外胠也

黃帝問岐伯曰夏脉如鉤何如而鉤岐伯

對曰夏脉者心脉也南方火也萬物所以

盛長也故其氣來盛去衰故曰鉤反此

者病夏陽氣盛萬物不勝盛長遂彼高下故曰鉤也夏脉從內熱上至於手不勝其盛迴而衰遂故比之鉤也

黃帝曰何如而反岐伯曰其氣來

盛去亦盛此謂太過病在外其氣來不

盛去反盛此謂不及病在中來去俱盛大

盛去亦盛此謂大過病在外其氣來不
盛去反盛此謂不及病在中來去俱盛大陽多少盛也
此小陽大陽故曰在外也其來不盛陽氣有衰脉行衰遲去反盛者陰氣盛實病在心藏也故曰在中
黄帝曰夏脉大過與不及其病皆何如岐
伯曰大過則令人身熱而骨痛為浸淫腎主
骨水也今大陽大盛身熱乘腎以為疲邪故為骨痛浸淫者盛長也其不及則
令人煩心上見咳唾下為氣黄帝曰善
氣陽虚陰盛故心煩也心脉入心中繫舌本故上見欬市滞及也謂噂噂也氣謂後腸泄氣也黄

方見來市滯反也謂蔣菩也氣謂廣腸泄氣也 黄

帝問於岐伯曰秋脈如浮何如而浮岐伯對

曰秋脈者肺脈也西方金也萬物所以收也

故其氣來輕虛以浮其氣來急〻皆

散故曰浮反此者病 秋時陽氣已散陰氣來大其氣輕虛其來

以急其去浮散故曰如浮也 黄帝曰何如而反岐伯曰其

氣來毛而中央堅兩傍虛此謂太過病

在外其氣來毛而微此謂不及病在中

其脈來如以手按毛〻中[illegible]此為陽盛病在大腸

在少甚氣來毛而微此謂不及病在中

其脈來如以手按毛〻中央空以為陽盛病在大腸
手陽明故曰在外如手按毛〻中央毀肺氣衰故
故曰在
中也

黄帝曰秋脈太過與不及其病皆
何如岐伯曰太過則令人氣逆而背痛慍

〻然府陽氣盛則氣逆速
背痛慍〻熱熱不暢也

其不及則令人喘
呼而欬上氣見血下聞病音黄帝曰善

肺氣不足喘呼欬而上氣唾而有血
下聞胸中喘呼氣聲也

黄帝
問於岐伯曰冬脈如營何如而營岐伯對

曰冬脈者腎脈也北方水也萬物之所以合藏

陽才此何曰冬脈者營何如而營何營

曰冬脈腎脈也万物所以藏之故其氣來

沉以搏故曰營反此者病（營聚也謂万物收藏歸根氣亦得深搏）

（骨沉聚內營藏曰如營也）黃帝曰何如而反岐伯曰其氣

來如彈石者此謂太過病在外（其脈如石以為平也彈

石謂令石脈上來彈手如石擊手如彈之以石謂堅大陽氣有餘病在膀胱大陽故曰在外也）其氣

去如毛者此謂不及病在中（腎氣不足故其氣去捷之如按毛

於在於腎故曰在中一曰如數也）黃帝曰冬脈太過與不及

其病何如岐伯曰太過則令人解㑊脊

七一日如數也　黄帝曰冬脉太過與不及
其病皆何如岐伯曰太過則令人解㑊腹
痛而少氣不欲言　大過腎太陽盛太陽之脉行項脊腳故盛身解
㑊也解音懈㑊相傳音亦謂怠惰運動難也太陽既盛腎陰氣少氣少故不欲言也　不及
則令人心如懸病飢脅中痛少腹滿小便
變黄帝曰善哉　脅脉上入於心故腎虛心如懸狀如病於飢當脅中也
氣不足故痛也又小腹虛滿小便變色也　黄帝曰四時之序逆順
之變異矣然脾脉獨何主乎　四時四藏氣復脉之
逆順然錯皆太過不及之變異多端已開之矣

之序異然脾脈獨何主乎氣候脈之逆順弦鉤浮營太過不及之變異多端已聞之矣然四藏之脈於四時而主衆識脾脈獨主何時也岐伯曰脾者土也孤藏以灌四傍者也孤尊獨也五行之中土獨為尊以王四季脾為土也其味甘淡為醲善事藏於淡滲灌四傍之藏其味在關中宮獨四時不見故不主時也黃帝曰然則脾之善惡可得見乎岐伯曰善者不可見惡者可見善謂平和不病之脈也弦鉤浮營四脈見時皆為脾胃之氣灌溉俱見故四藏脈常得平和然則脾脈以他為善自更元善也故曰善者不可見也惡者病脈也脾受邪氣脈見關中蔬之得知黃帝曰惡者何如可見

善者不可見也，惡者病脈也。脾受邪氣，脈見隔中，診之得如，故以可見也。黄帝曰：惡者何如可見也？岐伯曰：其來如水流者，此謂太過，病在外；其來如鳥之喙者，此謂不及，病在中。當關指下有脈如水之流動，即脾氣太過也。此陽氣病在胃足陽明，故曰在外。其脈來時如影聲指，此為得星受病，故曰在中。一曰鳥距，如鳥距隱人指也。黄帝曰：夫子之言脾之孤藏也，中央土也，以灌四傍，其太過與不及，其病皆何如？岐伯曰：其太過則令人四支不舉；胃氣雖盛，脾病不為行氣。其不及則人九

病皆何如岐伯曰太過則令人四支不舉
胃氣雖盛脾病不為行氣四支故曰四支不舉也 其不及則令人九
竅不通名曰重強 脾虛[illegible]病不為行氣於九竅不通也不行氣於
身故身重而瘖也巨而支也 黃帝懼然起再拜稽首
懼然起也道大於天故重道所而稽首也 曰吾得脈之大要天下
至數 弦鉤浮營等脈太過不及之理名曰脈之大要至數至理也 脈變揆
度奇恆道在於一數神轉而不迴迴則
不轉乃失其機至數之要迫近以微 唯是
五氣一脈隨四時而變故曰脈變方揆四脈以求脈之

……是
五氣一脈，隨四時而變，故曰脈變。方發切脈以求，謂之
揆也。以四時度之，得其病變，謂之度也。有病不得以四
時死者，曰奇也。得以四時死者，曰恒也。雖有此二種不
同，道在一數。上〻一數者，神轉〻〻謂是神動而營。
神而尊者，不可動回，回而（不）動則失神。
藏機〻微也。故脈診至理，近機微也。

著之玉板，藏之於府，每旦讀之，名曰生機。書而藏之，日日讀之，以為備也。機要，故曰生機也。

真藏脈形

大骨枯槁，大肉陷下，胸中氣滿，喘息

大骨枯槁大肉陷下胸中氣滿喘息
不便其氣動形期六月死真藏見乃
予之期日 骨為身幹人之將死肉不附骨遂至大骨亦無潤澤故曰枯槁即骨先死
也胸之小肉皆脫乃至大肉亦陷即肉先死也肺氣
虛少邪氣盈胸故喘急不安也喘息氣急肩髃皆
動故曰動形也肺病次傳至肝弄傷故六月死也此乃
不至七傳者也有前病狀真藏未見期六月死真藏
脈見即與死期不經六月也古本有作正藏
當是秦皇名正故改為真耳真正義同也 大骨
枯槁大肉陷下胸中氣滿喘息不
不便內痛引肩項期一月死真藏見乃
予之期日 內痛謂是心內痛也心府手太陽脈

不便内痛引肩項期一月死真藏見乃

予之期日 内痛謂是心内痛也心府手太陽脈從肩胳心故内痛引肩項也心不受痛受病氣不離一月故一月死真藏脈見即不至一月可即與死期也 大骨枯槁大肉

陷下胷中氣滿喘息不便内痛引肩

項身熱脫肉破䐃真藏見十月之内死

此内痛即脾胃痛也手少陽脈絡三膲脾胃即中膲也上出缺盆上項故脾胃中痛引肩項也脾主身肉故脾胃病身熱脫肉破䐃者也其項及肩之病狀真藏未見十月已上而死真藏脈見十月内死所以脾胃受於穀氣故至十月而死也 大骨枯槁大肉陷下肩

髓内消動作益衰真藏來見期一歲死

故至十月而死也　大骨枯槀大肉陷下肩

隨内消動作益衰真藏來見期一歲死

見其真藏乃予之期日　腎府之大陽脉脩肩髆内故腎病肩隨

内藏消瘦也又兩肩垂下曰隨腎間動氣五藏六

府十二經脉之原故腎病動運皆衰也腎間動氣

強大故真藏脉未見若腎氣來見若腎氣來足甚

衰所以期至一年腎氣衰甚真藏即見故與之死

期也　大骨枯槀大肉陷下胷中氣滿肉痛

中不便肩項身熱破䐃脱肉目匡陷真

真藏脉見少陽脉絶成目精壞目不見人原氣皆盡

故卯至九真脉雖見目猶見人得至其時而死也

[illegible]

故卯三真脈雖見而猶見人得至五時而死也

急虛身卒至五藏絕閉脈道不通氣不

往來譬於墮溺不可為期四時虛邪名曰經虛八風從其虛

之鄉來令人暴病卒死名急虛身譬於墮溺譬畢

史交除也謂不得隨意溺也如此急虛之病亦有生

者故不可與

為死期也其脈絕不來若人一息五六至其

形肉不脫真藏雖不見猶死也中於急虛其脈絕而不

來者來一息脈五六至不待肉

脫及真藏見必當有死也真肝脈至中外

急如循刀刃清清然如按琴瑟弦色青白

澤毛折乃死清寒也如以衣帶纖繩引帶不

急如循刀刃責責然如按琴瑟弦色青白不澤毛折乃死

凊寒也如以衣帶繳繩引帶不引繩即外急也引繩不引帶即内急也繩帶俱引即内外急也今真肝脈見中外皆急如人以手循刀刃中外堅急令人洒淅寒也又如以手按琴瑟弦不調急者此無胃氣即真肝脈也青為肝色白為肺色是肺乘肝也故青不澤也肺主於氣氣為身本身之氣衰即皮色不榮故毛折當死也

真心脈至堅而搏如循薏苡子累累然其色赤黑不澤毛折乃死

薏於溢反芑義當以即十珠也堅而搏者譬人以手循摩薏苡之珠累累然堅鉤無胃氣之柔即真心脈也赤為心色黑為腎色是腎乘心也故赤不澤也

真肺脈至大而虛如以毛羽中人膚色白赤不澤毛折乃死

色是腎乘心也故赤不澤也真脈肺至大而虛如毛羽中人膚然其色赤白不澤毛折乃死真肺脈如毛羽撇來中人皮膚大而浮虛者毛無胃氣即真肺脈也赤為心色白為肺色是心乘肺故白不澤也真腎脈至搏而絕如指彈石辟辟然其色黃黑不澤毛折乃死搏初委反動也其真腎脈柔如石彈指辟辟打指着營無胃氣即真腎脈也黃為脾色黑為腎色是脾乘腎故黑不澤也真脾脈至弱而乍疏乍數然其色青黃不澤毛折乃死真脾脈至乍疏乍數也疏謂動稀也數謂連動此無胃氣即真脾脈也青為肝色黃為脾色是肝乘脾[illegible]

者不乃至數謂連動此與胃氣即真脾脈也青為肝色黃為脾色是肝乘脾故黃不澤也諸真藏見者皆死不治藏脈猶見以與胃氣死故不療也

四時脈診

凡治病察其形氣色澤脈之盛衰病之新故乃治之無後其時形之肥瘦氣之盛衰色之澤及脈之盛衰病之新故凡療病者以此五診診病使當為合其時不當為後其時也形氣相得謂之可治形瘦氣大形肥氣小為不相得形肥氣大形瘦氣小相得脈弱以滑是有胃氣其病人五色浮

形氣相得，謂之可治。不相得，形肥氣大，形瘦氣小，相得也。脈色澤以浮，謂之易已。其病人五色浮輕潤澤，其病易已。脈順四時，謂之可治。四時王脈皆有胃氣，無他來剋，故曰順時。脈弱以滑，是有胃氣，命曰易治，趣之以時。四時之脈，皆柔弱滑者，謂之胃氣，依此療病，稱曰合時也。形氣相失，謂之難治。色夭不澤，謂之難已。脈實以堅，謂之益甚。脈逆四時，謂之不治。必察四難，而明告之，句趣以時。此之四診，趣之爲難，可明告病人，宜以變常設於療法，不得依常行，謂[illegible]也。

所明告之，勿趣以時。告病人宜以變常設於療諸，不得依常，趣之以時也。所謂逆四時者，春得肺脈，夏得腎脈，秋得心脈，冬得脾脈，其至皆懸絶沈濇者，命曰逆四時。未有藏形，四時皆得勝來，然已之脈，已脈，懸絶沈濇失四時和脈，雖未有病藏之形，不可療也。春夏脈沈濇，秋冬而脈浮大，此脈反四時也。病熱脈清靜，熱病，脈須熱而躁也，今反寒而靜，清寒也。泄而脈大，人之泄利脈須小細，今反洪大也。脫血而脈實，病在中，人之脫血脈須虛弱，今反強實，病在中也。而脈實堅，人之病在外，脫血脈實堅而反[illegible]

脈血不脈實病在中今文強實病在中也不

脈實堅病在外脈血脈實堅病在外也而脈不實堅爲難治名曰逆四時脈虛而脈不實，亦不堅，難療也。以上七語皆逆四時也

黄帝問於岐伯曰：脈其四時動，奈何知病所在？奈何知病之所變？奈何知病乍在内？奈何知病乍在外？奈何知？請問此六者，可得聞乎？六謂六問，此中唯有五問，當是脱一問也岐伯對曰：請言其與天轉運量下卷中文，當有六，故爲六合也。人身合天，故請言人身與天合氣轉運之道也

[illegible]

與天轉運天歧請言人身與天合氣轉運之道也

定萬物之外六合之內天地之變陰陽之應萬物各受一形自萬物一形之外謂於六合苞果之內皆是天地為其父母變化而生故万物皆與天地元氣應而合也

彼春之暖為夏之暑春夏者陰氣終始也春之三月陽氣之始氣和日暖夏之三月陽盛暑熱乃是春暖增長為之也

彼秋之忿為冬之怒秋冬者陰氣終始也秋之三月陰氣之始風高氣切越若急怒冬之三月陰氣嚴烈乃是秋涼增長為之也

四變之動脈與之上下暖暑急怒是其之運四氣變動人之經脈與隨四氣上下變動亦不異也春夏之脈人迎大於寸口故為上也寸口小於人迎故為下也秋冬之脈寸口大於人迎故為上也人迎小於寸口故為下也此

以春應中規[illegible]

寸口小於人迎故為下也秋冬之脉寸口大於人迎故為上也人迎小於寸口故為下也此乃或義為上下也此荅初問也

春應中規夏應中矩春三月時少陽之氣用万物始生未正故曰應規也夏三月時大陽之氣用万物長正故曰應矩也

秋應中衡冬應中權秋三月時少陰之氣用万物長極故曰應衡也冬三月時大陰之氣用万物歸根故曰應權也

是故冬至卌五日陽氣微上陰氣微下冬至以後陽氣漸長故曰微上陰氣漸降故曰微下也

夏至卌五日陽氣微下陰氣微上夏至已後陰氣漸長故曰微上陽氣漸降故曰微下

陰陽有時與脉為期，期而相失，知脉所分，分之有期

發上陽氣漸降故曰發下陰陽有時與脉爲
朞々而相失知脉所分々之有朞故知死
時陰陽以有四時四時與脉爲朞爲期在於四時相得失處即知四時之脉分在四時之際脉分四時有期則死生之期可知此答第二病所在也微妙在脉不可
不察々之有紀從陰陽始欲知々之死生者無勝察之妙藥脉絕紀志以陰陽爲本也始之有經從五行生陰陽本始有十二經脉也十二月經脉從五行生也生之有度四時爲數五行生十二經脉各有法度脉從五行生木生二經足厥陰足少陽也火生四經手少陰手太陽手厥陰手少陽也土生二經足太陰々陽明也金生二經手太陰手陽明也水生二經足少陰足太

陰手太陽手厥陰手少陽也土生二經足太陰足陽
明也金生二經手太陰手陽明也水生二經足少陰足太
陽也此為五行生十二經脈法度者春有二經夏有四經季
夏末二經秋有二經冬有二
經故十二經脈以四時為數也 循數勿失與天地
如一得一之誠以知死生 於寸關尺三部之中循十二經之脈得其
誠鉤浮營四行之氣而不失錯與天地
宜效為一如此即能了知死生之朗也 是故聲
合五音色合五行脈合陰陽 人之聲合於五音人之
形色合五行人之脈氣合於陰
陽此為第三之病之所變也 是故陰盛則夢
涉大水恐懼陽盛則夢涉大火燔灼

涉大水恐懼陽盛則夢涉大火燔焫
陰陽俱盛則夢相殺毀傷上盛則夢
飛揚下盛則夢墯墜甚飽則夢予甚
飢則夢取肝氣盛則夢怒肺氣盛則
夢哭短蟲多則夢衆長蟲多則夢相
擊破傷凡夢有三種人有吉凶先見於夢此為徵夢也思想情深因之見夢此為想夢也因其所病見之於夢此為病夢也此十一種夢皆病夢也並同陰陽氣之盛衰內有飢飽肝肺氣盛長短蟲多以為夢也此所以因傷致夢即以夢為診也此為夢診可為四季問之脈也是故持
氣有虛實所察持脈之道虛靜不含地葉

也此為夢訣可為四時間之脈也是故持

脈有道虚靜為保持脈之道虚心不念他事凝神靜慮以為自保方

可得知脈之浮沉氣之内外也春日浮如魚之遊在皮夏日

在膚泛泛乎萬物有餘春時陽氣初開脈從骨髓流入經中

上至於皮如魚游水未能周散夏時陽氣榮盛脈

從經溢入孫絡膚肉之中如水流溢泛泛盛長万物

大盛茂盛有餘此季

夏夏病在於外也秋日下膚蟄蟲將去

冬日在骨蟄蟲周密君子居室秋日陽氣從膚漸伏

於内故曰下膚蟄蟲趣煖入穴故曰將去是時陰

氣從内出在於膚腠理將閉也冬日陽氣内伏蟄虫

閉周密君子去寒居室室之脈氣行骨故曰

氣隨內出在[於膚?]腠理將開也冬日陽氣內伏藏於
關六閉塞君子[去寒?]居室之脈氣行骨於故
行脈者深按得之此[冬藏?]六病作在內也
知內者按如紀之知外者終如始之
秋冬脈氣為陰在內
故按得紀紀春夏脈氣為陽在外故取終得
始也春夏之脈為秋冬脈終即為陽之始也
此六者持脈之大法也
以為持脈大法
春得秋脈夏得冬脈秋得春脈冬得夏脈陰出之陽々病善怒不治是謂五邪皆同命死不治
春得秋脈
夏得冬脈皆賊邪來乘也秋得春脈冬得夏脈皆為
微邪來乘以秋冬得之陰出之陽是爭者不療也

藏耶矣柔以秋冬得之陰出之陽走争者不療也

人迎脉口診

雷公問於黄帝曰細子得之受業通九鍼六十篇旦暮勤服之近者編絶遠者簡垢然尚諷誦弗置未盡解於意矣南方來者九鍼之道有六十篇其簡之書遠年者編有斷絶其近年者簡或塵垢然其深妙學久日勤未能達其意也外揣言渾束為一未知其所謂也揣初委反揣度也渾戶昆反合也束總要也五藏六府吉凶善惡其氣在内脉手大陰脉脉惣合為一見於寸口外脉之中寸以手按度量令人得知者

在內，隋手大陰脈，總合為一，見於寸口外脈之中，寸以手捫度量，令人得知裳來通其意也 夫大則無外，小則無內，大小無極，高下無度，束之奈何 經脈之氣合天地之數，與道通洞，苞裹六合，其大無外也；氣貫毫微則小无內也，然則已形不可以大小極，不可以意下測則數以總為一者，殊不可知也 士之才力，或有厚薄，智慮褊淺，不能博大深奧，自強於學，未若細子，細子恐其散於後世，絕於子孫也，敢問約之奈何 穢難酒及人之所學，未若細子，唯恐其至道忘於後代，無及子孫，敢問其要，傳之不朽也。細子者，雷公自謂之

何代與及子孫敢明其要傳之不朽也細子者雷公
自謂之白也之黃帝荅曰善乎哉問也此先師所禁
坐私傳之也割臂歃血為盟也子若欲得
之何不齋乎雷公再拜而起曰請聞
命矣於是乃齋宿三日而請曰敢問今
日正陽細子願以受盟黃帝乃與俱入
齋室割臂歃血黃帝親祝曰今日正陽歃
血傳方敢背此言者必受其殃雷公再拜

[illegible]
拜曰細子受之黃帝乃左握其手右授
之書曰慎之慎之上古貴季傳至岐伯ゝ授之黃帝故貴季為先師也非其
人不可授道故須禁之坐致傳也方要道以盟授授人吾為子言之凡刺之理
經脈為始吾方愈病名為其要聖人雜合行之以針為輕小能愈大疾故先言之人
之十二經脈奇經八脈十五絡脈經絡於身營衛陰陽氣之經隧生之夭壽莫不由之故為始也
營其所行知其度量刺之理者必須經營脩十二經諸絡脈等所行之氣并知脈之長短度量也
內次五藏別其六府逆於藏府
流出經脈行身外故藏府猶內知內之道先[illegible]

之長短度量也此次察藏別其六府藏府流出經脉行身外故藏府俱內知內之道先次五藏內中之陰次别六府內中之陽也之審察衛氣爲百病毋調其虛實乃心寫其血胳血胳盡而不殆次知衛氣爲陽行孔吏諸邪氣以爲百病次決知經胳虛實〻者乃心而寫之先寫大小血胳血耶盡已得無危殆也雷公曰此皆細子之所以通也未知其所約也願帝曰夫約方者猶約囊也囊滿不約則輸泄方成弗約則神弗俱與約節量也方法也言以診氣囊以盛氣故得比之囊滿不爲節約必泄

輔沙[illegible]已未經[illegible]可信矣 言法也[illegible]

以許氣囊以盛氣故得比之囊滿不爲節約淺淺其氣許法成已不爲節約淺淺神氣ゝゝ去矣不與

周遠義俱也故曰雷公曰願爲下材者勿滿而約

之黃帝曰未滿而知約之以爲工不可

以天下師焉 攝生之道材有上下許法成已者合理得長生久視材德之

上可爲天下之師許法未一張音成故曰未滿而能節而行得爲國師是按脉而知病生所由導之爲

工材之不下也 雷公曰願聞爲工 爲工是持脉之道故問也 黃帝曰

寸口主中 按此九卷素問肺藏手大陰脉動於兩手寸口中兩手尺中夫言口者通氣者

也寸口通手大陰氣故名寸口氣行之處亦曰氣口

寸口　手寸口中兩手尺中夫言口者通氣者
也寸口通發手大陰氣故如寸口氣行之處亦曰氣口
寸口氣口更無異也中𦊆之式以爲陰也五藏之氣衛
手大陰脈見於寸口
故寸口脈主於中也　人迎主外　結喉兩箱足陽明
脈迎受五藏六府之氣
以養於人故曰人迎下經曰人迎胃脈也又云任脈之側動
脈足陽明名曰人迎明堂經曰頸之大動脈動應於手
俠結喉以候五藏之氣人迎胃脈六府之長動在外候
之如內故曰主外寸口居下在於兩手以爲陰也人迎在
上居喉兩旁以爲陽也九卷始終篇曰平人者不病也不
病者脈口人迎應四時也應四時者上下相應俱往俱
來也所謂是手太陰脈行氣寸口故寸口脈口亦無異
也沉上下俱往俱來皇以二手爲上下也又九卷終始篇
云人迎與太陰脈口俱盛四倍以上命曰關格即知手大
陰舉人迎也又素問第五卷云胃管癰診法伯曰當得胃
脈沉細胃沉細者氣逆々甚者人迎甚盛々則熱人迎

陰盛人迎也。又素問第五卷云：胃管癰診，岐伯曰：當得胃脉沉細，沉細者氣逆，逆者人迎甚盛，盛則熱。人迎者胃脉也，逆盛則熱聚於胃口而不行，故胃管為癰。此經所言，人迎寸口之處數十有餘，竟無左手寸口以為人迎，右手關上以為寸口，而舊來相承與人診脉，縱有小知得之別注，人多以此致信，竟無依據，不可行也。

之情未識，所以不言

兩者相應，俱往俱來，若引繩小大齊等，寸口人迎兩者，上下陰陽雖異，同為一氣，出則二脉俱往，入則二脉俱來，是二人共持一繩，彼牽而去，其繩并去，此引而來，其繩并來，寸口人迎，因呼吸牽脉往來，其動是同，故曰齊等也。春夏人迎微大，秋冬寸口微大，如此者名曰平人。譬彼引繩之動，大小齊等，細等其動非無小異，故此牽此動之端為大，彼端微小；彼動之端為大，此端微小

大如此者名曰平人細尋其對非無小異故此
肁此動之端爲大彼端微小彼動之端爲大此端微小
脉亦如之上下雖一因呼吸而動以春夏之陽秋冬之
陰故脉有大小春夏陽氣盛實故脉循之散大爲
平秋冬陰氣盛實故脉循之微大爲平〻者氣
和無病者也人迎大一倍於寸口病在少陽人迎
二倍病在太陽人迎三倍病在陽明計春夏人
迎大於寸口少半已去少陽即已有病其病猶微故
亦言之盛倍者言以病等可名故曰病在少陽言一倍
素無不病之人寸口人迎脉動大小一種春夏之時人迎之
動微大寸口以平好人迎之脉漸大小半轉於一倍即
知少陽有病少陽盛氣來大故得過限一倍名曰
少陽病之致使人迎之脉〻一倍大於寸口少陽病氣
漸盛過於陰氣二倍名曰太陽之病則人迎之脉二倍

少陽病之致使人迎之脈〻一倍大於寸口少陽病氣
欲盛過於陰氣二倍名曰大陽之病則人迎之脈二倍
大於寸口大陽氣衞盛過於陰氣三倍名曰陽明之
病則人迎之脈三倍大於寸口也盛則為熱陽氣內盛為熱故人迎脈盛也虛則為
寒陽氣內虛陰乘為寒故人迎脈虛也緊則為痛痺言氣動聚似急也此
肌肉之間有寒溫〻〻故為痛痺也代則乍甚乍間代止也脈絶不來故曰代也代
者邪氣客於血脈之中隨飲食而變故病乍甚乍間盛則寫之人迎一盛者寫於少陽
二盛寫於大陽三盛寫於陽明也虛則補之人迎虛者人迎小於寸口也小於寸口一倍
補於少陽一倍補於大陽三倍補於陽明也緊痛則取之分肉分肉之間寒溫
氣代則取之[illegible]邪在血絡故令脈代可刺

陽三倍，補於陽明也。緊痛則取之分肉，閒寒溼氣居。代則取血胳且飲藥，邪在血胳，令脈代，可刺去邪血，飲湯實之。陷下則灸之，謂其諸脈血氣不滿陷下，不宛，是中寒，故須灸之。不盛不虛，以經取之，名曰經刺，不盛不虛，正經自病也。假令心痛，中風得之，肝來乘心，從後而來，名為虛邪；飲食勞倦，脾來乘心，從前來者，名為實邪；傷寒得之，肺來乘心，從所不勝來者，名曰微邪；中溼得之，腎來乘心，從所勝來者，名曰賊邪。以上四病，皆是他邪為之，須視心之虛實，補寫他經。傷暑得病，起於自藏，以為正邪，宜療自經，故曰以經取之，名曰經刺也之。人迎四倍者，且大且數，名曰外格，死不治，人迎三倍，各病一陽，且四倍，其陽獨盛，外拒於陰，陰氣不行，故曰格

兩俱[illegible]且大且數[illegible]曰外格[illegible]不[illegible] 倍各病
一陽重四倍其陽獨盛外拒於陰陰氣不行故曰格
陽格拒也陽氣獨盛故大而且數以無陰氣獨盛必
於故死
不療
必審按其本末察其寒熱以驗其
藏府之病 必須審按人迎寸口內外本末察寒其脈
中寒暑然後始知藏府中之病也之
寸口大於人迎一倍病在厥陰寸口二倍
病在少陰寸口三倍病在太陰 秋冬寸口
太於人迎
少陰已去厥陰即已有病妄病獨微故未言之以
病厥可名故曰病在厥陰言一倍善按不病人寸口
人迎脈動大小一種秋冬之時寸口之動微大人迎以為
平好寸口之脈至於一倍即知厥陰有病厥陰之氣衰
少故得過陽一倍名曰厥陰之病致使寸口之脈一倍

平好寸口之脉至於一倍所知厥陰有病厥陰之氣衰
少故得過陽一倍名曰厥陰之病致使寸口之脉一倍
大於人迎陰氣雖少為過陽氣二倍名曰少陰之病
則寸口之脉二倍大於人迎大陰衰又過於陽氣三
倍名曰大陰之病則寸口之脉三倍大於人迎也
盛則脹滿寒中食不化寸口陰氣大於人迎三倍病在大陰大陰之
病自有虛實是以寸口陰盛則腹
中寒氣脹滿有寒中食不化也虛則熱中出
糜少氣溺色變陰虛陽氣來乘腸胃中熱
故大便出強如糜少陰氣
虛故少氣溺色黃也緊則為痹風寒濕氣留於分肉間為
痹故令寸口脉緊實也
代則乍痛乍止寸口脉動而中止不還曰代邪客分
肉致令衛氣之行乍行乍止故令
其痛乍有
盛則寫之虛則補之下言療方

代則乍痛乍止內數令斷氣之行乍行乍止故令
其痛乍有乍止也盛則寫之虛則補之下言療方盛寫之法
躁人迎可知也緊則先刺而後灸之緊有痺痛先以痛爲輸榮輸刺
已熱陳取其刺處灸之代則取血絡而洩之代則乍痛乍止故刺去邪
血之絡也陷下則徒灸之陷下者脈血結於中
中有著血血寒故宜灸之徒空也諸脈陷下不見是脈中寒血結聚宜灸
之不凝先刺也不盛不虛以經取之惟人迎可知也寸口四
倍名曰內關內關者且大且數死不治陰氣三倍
大於陽氣病於三陰重於四倍陰氣獨盛內時閉

名曰內關〻〻者且大且數死不治 三倍

大於陽氣病於三陰至於四倍陰氣獨盛內皆閉塞陽不得入故為內關〻〻閉也寸口大而又數即陰氣將絕故死不療也 必審其本末之寒溫以驗其藏

府之病 必審寸口人迎大小終始寒溫則知內外藏府之病也 通其營

輸乃可傳於大數〻〻曰藏則徒寫虛

則徒補 須知五藏六府病之所在先須鍼藥通其營輸然後傳於灸刺大數謂空補寫之數也之

緊則灸刺且飲藥 脈之緊者三療俱行緊謂動而中心大數中有留著曰結也 陷下則徒灸之 推薦人迎 不盛不虛

曰治也　所下則行於人也不虛不庸

以經取之所謂經治者飲藥亦曰灸刺不藏不厲經療之法亦三療俱行也脉急則引引挽也寸口脉急可以針導引令和也

脉代以弱則欲安靜無勞用力也脉衰代絶至復微弱不欲煩動者宜安靜恬逸不得自勞也雷公曰病之益甚

與其方衰何如問其切脉知病衰甚黃帝曰外內皆

在焉外府內藏並有甚衰故曰皆在切其脉口滑小緊以沉

者其病益甚在中脉口陰位也滑為陽也小緊沉者皆為陰也按於脉口

得一陽三陰則陰乘陽故病人迎氣[illegible]

者其病益甚在中沉者皆為陰也按於脈口得一陽三陰則陰乘陽故病益甚病在五藏故曰在中也人迎氣大堅以浮者其病益甚在外人迎陽位也堅為陰也大浮陽也二陽一陰則陽乘陰故病益甚病在六府故曰在外也其脈口滑而浮者病日損滑浮皆陽在於陰位而得二陽其氣以和故疾病日日瘳損人迎沉而滑者病日損一陰一陽在於陽位其氣易和故病除其脈口滑以沉者其病日進在內一陰一陽在於陰位故曰病漸進在五藏其人迎脈滑盛以浮者其病日進在外滑盛浮等俱為陽也又其在陽位名[illegible]

[illegible]脈[illegible]者其病[illegible]其在外浮[illegible]
俱爲陽也又其在陽位名曰大過病增在於六府也脈之浮沉及人迎與
寸口氣小大等者其病難已諸有候脈浮沉及人
迎寸口中氣大小齊等者是陰陽不隔相傾故病難已也病之在藏沉而
大者易已小爲逆人迎寸口之中候之知病在於内五藏中其脈且沉且大
是爲陰陽氣和雖病已其脈沉而小者純陰故逆而難已也病之在府浮而
大者病易已候之知病在外六府中其脈浮而且大得其時易已人迎[illegible]
緊者傷於寒人迎盛爲陽也緊則爲陰也謂冬負觸寒氣入腠名曰傷寒春爲溫病
脈[illegible]盛[illegible]盛爲陰也脈口盛而

鬲者傷於寒熱寒氣入腠名曰傷寒春爲温病
脈口盛堅者，傷於食飲盛爲陰也脈口盛而堅者是因飢多食傷藏爲病也
一日一夜五十營，以營五藏之精，不
應數者，名曰狂生。所謂五十營者，五藏
皆受氣也營氣一日一夜周身五十營於身者心得營五藏精氣以奉生身若其不至五十營者五藏無精雖生不久故曰狂生
持其脈口，數其至也。五十
動而不一代者，五藏皆受氣矣脈口寸口亦曰氣口五十動者腎藏第一肝藏第二脾藏第三心藏第四肺藏第五五藏各爲十動故曰從脈十動以下次第至腎滿五十動即五藏皆受於氣也持脈數法

四肺藏第五五藏各爲十動故曰從脈十動以下次
第至腎滿五十動即五藏皆受於氣也持脈數法
先持不病人之脈口以取定數然後持於病人脈口
動知病人脈數多少謂從平旦陰氣未
散陽氣未行持於脈口以取定數也。

卅動而一代者一藏無氣矣其脈得卅動已至卅一動已去有一代者即五十數少故第一腎藏元氣也

卅動而一代者二藏無氣以矣其脈得卅動已至卅一動已去有一代者即卅數少故第二肝藏元氣

廿動而一代者三藏無氣矣其脈得廿動已至廿一動已去有一代者即廿數少故第三脾藏無氣

十動而一代者四藏無氣矣其脈得十動已至十一動已去有一代者一□□一動而一

無氣
一動而一代者四藏無氣矣 得十
動已至十一動已去有一代者
即廿數少，故第四心藏無氣
不滿十動而一
代者五藏無氣矣 其脈不滿十數有一代者，即
十數少，故第五肺藏無氣
予之短期 肺主五藏之氣，所以氣既無所以
五藏氣皆不至，故與之短期也 要在終
始，所謂五十動而不一代者，以為常也 二十
動而
二一代者，蓋是五藏
終始常道之要也 以知五藏之期也。予之短
期者，乍數乍疏也 與短期者，謂五藏脈乍疏乍
數，不合五十之數，故可與之
死期
也
黃帝曰：氣口何以獨為五藏主氣 請
候
各候五藏之氣，何因氣口獨主
[illegible]

也

各脩五藏之氣何因氣口獨主五藏六府十二經脈等氣也

岐伯曰胃者水穀之海也六府之大也五味入口藏於胃以養五氣〻口亦大陰也是以五藏六府之氣味皆出於胃變見於氣口

胃為水穀之海六府之長出五味以養藏府血氣衛氣行手大陰脈至於氣口五藏六府善惡皆是衛氣所將而來會手太陰見於氣口故曰變見也

故五藏氣入於鼻藏於心肺〻有病而鼻為之不利也

穀入於胃以養五藏上熏入鼻藏於心肺肺中出入鼻為

肺心有病而鼻為之不利也　養五藏上童

入鼻藏於心肺，鼻中出入，鼻為肺官，故心肺有病，鼻氣利也。

故曰：凡治病者，必察其上下，適其脈候，觀其志意，與其病能。乃拘於鬼神者，不可與言至治。療病之要，必須上窺人迹，下診寸口，適於脈候，又觀志意有無，ゝ志意者，不可為巫及說療，復觀其人病態，能可療以不。若人風寒暑濕為病，乃情繫鬼神，斯亦不可與言也。

惡於鑱石者，不可與言至巧。治病不許治者，病不必治也，治之無功矣。鑱，仕藍反，鈹也。其病非針石不為，而惡之者，縱岐黃無所施其功。其病可療，而不許療，□□□□□

治也治之無功矣為而惡之者縱岐黃無所施其功其病可療而不許療者縱倉扁不可為其功也凡刺之道畢于終始明知終始五藏為紀陰陽定矣凡刺之道其要須窮陰陽氣之終始人之陰陽氣終始者必本五藏以為經紀以五藏神居身故為陰陽氣之經紀即陰陽定矣陰者主藏陽者主府陰氣主於五藏在内陽氣主於六府在外也陽受氣于四末陰受氣于五藏清陽實於四支濁陰者走於六府故陽受氣於四末也清陰趣於五藏濁陽者營於四支故陰受氣於五藏也故寫者迎之補者隨之知迎知隨氣可令和氣之方必通陰陽也故補寫之道[illegible]陰陽之氣

實者迎之虛者隨之知迎知隨氣可令

和和氣之方必通陰陽故補寫之道悉陽之氣實而來者迎而寫之虛而去者隨而補之人能知此隨迎補寫之要則陰陽氣和有疾可愈也之五藏為陰

六府為陽傳之後代以血為盟敬之者

昌慢之者亡無道行私必得天殃敬其傳方令守道去私也謹奉天道請言終始言其奉誠因請五藏終始之紀也

終始者經脈為紀持其脈口人迎

以知陰陽有餘不足平與不平天道畢矣

言五藏終始紀者謂經脈也故知經脈為終始者也

知陰陽有餘不足平與不平天道畢
矣五藏終始紀者，謂經脈也。欲知經脈為終始者也，持脈口人迎動脈，則知十二經脈終始陰陽之氣有
餘不足也所謂平人者不病不病者脈口人迎
應四時也春夏人迎後大寸口，秋冬寸口後大人迎，所應四時也上下相應
而俱往俱來也人迎左結喉兩傍，故為上也；寸口在兩手關上，故為下也。上下雖別
皆因呼吸而動，故俱往來也。往謂陽出，來謂陰入也。往來雖別異，同時而動，故曰俱也六經之
脈不結動也陰陽之脈俱往來者，即三陰三陽經脈動而不結本末之
寒温相守司也春夏是陽用事，時温人迎為本也；秋冬是陰用事，時寒脈口為
本也。其二脈不來相乘，復共形肉血氣必相稱

[illegible][illegible]本[illegible][illegible][illegible]也秋冬是陰用事時寒脈口為本也其二脈不來相乘復共保守其位故曰相守司也秋內血氣必相稱也是謂少氣之也氣流口人迎俱少而不稱尺寸也如是則陰陽俱不足脈口寸口也寸部有九分之動尺部有一寸之動今秋冬寸口又小於人迎即脈口不稱尺寸也春夏人迎又小於寸口即人迎不稱尺寸之如此則知藏府陰陽二氣俱少也稱陽則陰竭寫陰則陽脫如是者可將以甘藥不愈可飲以至齊夫陽實陰虛可寫陽補陰陰實陽虛可寫陰補陽今陰陽俱虛補陽其陰竭以寫陰陰之虛陽无所依故陽脫所以不可

飲以至齊虛可寫陰補陽令陰陽退虛補陽。其陰發以瀉瀉陰之虛陽无所依故陽脫所以不可得於鍼石可以甘藥湯液將扶補之若取已可至於齊也如此者弗灸不已因而瀉之則五藏氣壞矣如此二皆是虛可以陽液補者內漸方愈故曰不久未已若不如此即用鍼瀉必壞五藏之氣也焉不灸於氣不傾灸害害久也人迎一盛病在足少陽一盛而躁在手少陽病在足少陽足少陽病大於足厥陰二倍故人迎盛於寸口二倍一盛而躁病在於手少陽經也人迎二盛病在足太陽二盛而躁在手太陽躁手道受擾也陽氣喇大在足太陽足太陽病大於足少陰二倍人迎三盛病在

陽二盛而躁在手大陽氣衝大在足大陽
足大陽病大於足少陰二倍故人迎盛於寸口二倍也人迎三盛病在
足陽明三盛而躁在手陽明陽氣盛在足
陽明足陽明病大於足大陰三倍故人迎盛於寸口三倍也人迎四盛且大且
數者名曰溢陽溢陽為外格人迎盛至四倍大而動數
陽氣盈溢在外格拒陰氣不得出外故曰外格也脈口一盛病在足
厥陰一盛而躁在手心主之厥陰盛病大於足少陽一倍故
脈口盛於人迎一倍也脈口二盛病在足少陰二盛而
[illegible]足少陰盛病大於足太陽二[illegible]

逆一倍也月口二盛病在足少陰二盛而
躁在手少陰足少陰盛病大於足大陽二倍故脉口盛於人迎二倍也脉口
三盛病在足大陰三盛而躁在手少陰
足大陰盛病大於足陽明三倍故脉口盛於人迎三倍也脉口四盛且大且
數者命曰溢陰溢陰爲内關〻〻不通死
不治陰氣四盛於陽脉口大而且數陰氣盈溢在内關閉陽氣不得復入名曰内關不
可療也
人迎與太陰脉口俱盛四倍以上
者命曰關格〻〻者與之短期脉以寸口也陽
盛四倍格而不關陰盛四倍關而不格皆與死期

者命曰關格〻〻者與之短期口也。陽
盛四倍，格而不關，陰盛四倍，關而不格，皆與死期。
脈〻人迎，俱四倍已上，稱曰關格，死之將近，故與
短期。此云人迎與大陰脈口，
亦知〻大陰脈與人迎也。人迎一盛，寫足少
陽而補足厥陰人迎一倍大於脈口，即知少陽一倍，大於厥陰，故足少
陽一倍，六於厥陰，故足十
陽補足厥陰，餘皆准此也。二寫一補，其補寫法，陽盛
陰虛，二寫於陽，一補於陰，〻盛陽虛，一寫於陰，
二補於陽。然則陽盛得二寫，陽虛得二補，陰盛
得一寫，陰虛得一補，療陽得多，療陰得少者，何也。
陰氣遲緩，故補寫在漸，陽氣疾急，故補寫在頓，
倍於療陽也。
餘放此也。日一取之一取一度補寫也。足大陽盛，足少陰虛，足少陰盛，足
大陽虛，此二經者氣血最少，故二日一補寫也。足少陽

鍼謂此也 一□之 盛足少陰虛足少陰盛之
太陽虛此二經者氣血衰少故二日一補寫也足少陽
盛足厥陰虛足厥陰盛足少陽虛此二經者血氣
次多故曰一補寫也足陽明盛足大陰虛足大陰盛足
足陽明虛此二經者血氣最富故曰二補寫以為例在
厥陰血氣最少、陰次多大陰最多此中少陰二
日一取厥陰一日一取大陰一日二取或經錯耳也
必切而驗之必須切循人迎脈口以取驗也躁取之上人迎躁而上行皆在
手脈故曰取之取者取於此經所發穴也之氣和乃止寫實補虛令陰陽氣和乃止矣焉
例也
人迎二盛寫足大陽而補足少陰二寫
一補二日一取之必切而驗之躁取之上氣
和乃止人迎三盛寫足陽明而補足大陰

一補二日一取之必切而驗之躁取之上氣
和乃止人迎三盛寫足陽明而補足大陰二
寫一補日二取之必切而驗之躁之取上氣
和乃止脉口一盛寫足厥陰而補足少陽二
補一寫日一取之必切而驗之躁取之上氣
和乃止脉口二盛寫足少陰而補足大陽
二補一寫二日一取之必切而驗之躁取之上氣
和乃止脉口三盛寫足大陰而補足陽明二
補一寫日二取之必切而驗之躁取之

[illegible]

補一寫，日二取之，必切而驗之，躁取上。氣和乃止，所以日二取之者，太陰主胃，太富于穀氣，故日二取。釋此二經多人取所由也。人迎脈口俱盛三倍以上，命曰陰陽俱溢，如是者不開，則血脈閉塞，氣無所行，流溢于中，五藏內傷，如此者，因而灸之，則變易而為他疾矣。人迎脈口俱三倍已上來至四倍，陰陽俱有溺溢，當尔之時，必須以鍼開寫通之，若不則驗其所益什疾矣上來至此倍陰陽俱有溺溢富乍之時，必須以鍼開寫通之，君不開者，氣无所行，淫溢反流，内傷五藏，不可灸也。

凡刺之道，氣調而止。補陰寫陽，夫寫陰為易，補陰為難；補陽為易，寫陽為難。刺法補陰寫陽，二氣和者，是可以止也。音氣益章，耳目聰明，反此者，血氣不行矣。陰陽和者，言音清朗，以納和陽，故曰音章也。七竅開通，所以耳目聰明，反此為逆，故血氣不行也。

所謂氣至而有効者，鍼入膚内，轉而待氣，氣至行補寫而得驗者，謂有動也。寫則益虚，虚者，脉大如其

故[illegible]

實則益虛〻者脉大如其

有動也

故而不堅也堅如其故者適雖言快

病未去也 以其有實所以須寫〻者益虛〻損實其實損者其脉大如故而脉中不堅即爲損實也若寫已脉大如故脉中仍堅者去鍼適雖以損釋快病未除也 補則益

實〻者脉大如其故而益堅也大如其

故而不堅者適雖言快病未去也 以其有虛所以須補〻者補虛益實者也其得實者脉大如故而脉中堅即爲得實若[illegible]虛未[illegible]脉中不堅去鍼適雖快病未愈也 故補則實寫則虛痛雖

[illegible]直寸病[illegible]之 故實則補虛令實寫則

快病未愈也故初見邪通虛病

不隨針病必衰去故實則補虛令實寫則寫實令虛補寫未盡其工去針適難言差病未除也若補寫窮其理其痛雖不隨鍼去病必衰去也必先通

十二經脈之所生病而後可得傳于終始矣十二經脈所生病所由通之者知諸邪氣得之初始又知万病所差之終足以可得傳於終始貽諸後代也之故陰陽不相移虛實不相傾取之其經是故學者須知陰陽虛實不相傾移者可取十二經脈行補寫也

黃帝問於岐伯曰人病胃管癰者診

當何如岐伯曰診此者當候胃脈

黃帝問曰人病胃管癰者診

當何如岐伯曰診此者當得胃脈其脈

當沉細沉細者氣逆逆者人迎甚盛盛

則熱人迎者胃脈也逆而盛則熱聚

於胃口而不行故胃管爲癰黃帝曰善

胃管癰者胃口有熱胃管生癰也得胃脈者寸口脈也寸口者脈之大會手太陰之動也故五藏六府十二經脈之所終始也平人手之寸口之中胃脈合浮與大也今於寸口之中診得沉細之脈[illegible]知胃有傷寒逆氣故寸口之脈沉細上之人迎洪盛者也盛則胃管熱也上人迎者在喉兩邊是足陽明胃脈者也胃氣逆者則手之寸口沉細喉邊人迎盛

[illegible]

皆熱也。上人迎者，在喉兩邊，是足陽明胃脈者也。胃氣逆者，則手之寸口沉細，食邊人迎盛。大鼓知熱聚，胃口不行，為癰，行發之腫也。

安臥，小便黃赤，脈小而澀者，不嗜食。安臥，小便黃赤，脈小澀，脾病，故不嗜食也。

人病其寸口之脈與人迎之脈大小及其浮沉等者，病難已也。寸口，脈口也。人病寸口之脈，秋浮冬沉，人迎之脈，春小夏大，縱病多少，四時大小浮沉皆同，則四時脈亂，故難已也。

黃帝内經太素卷第十四　診候之一

黄帝内經太素卷第十四　診候一

仁安二年六月廿日以同本書寫之
移點校合了　丹波賴基

本
久壽二年十月四日以家本移點比挍了

久壽二年十月四日以家本移點比校了
憲基

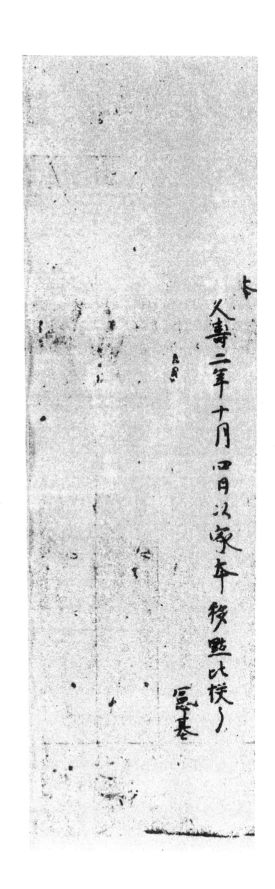

黃帝内經太素卷第十五

黄帝内經太素卷第十五　診候之二

通直郎守太子文學臣楊上善奉勑撰注

色脉診

色脉尺診

尺診

尺寸診

五藏脉診

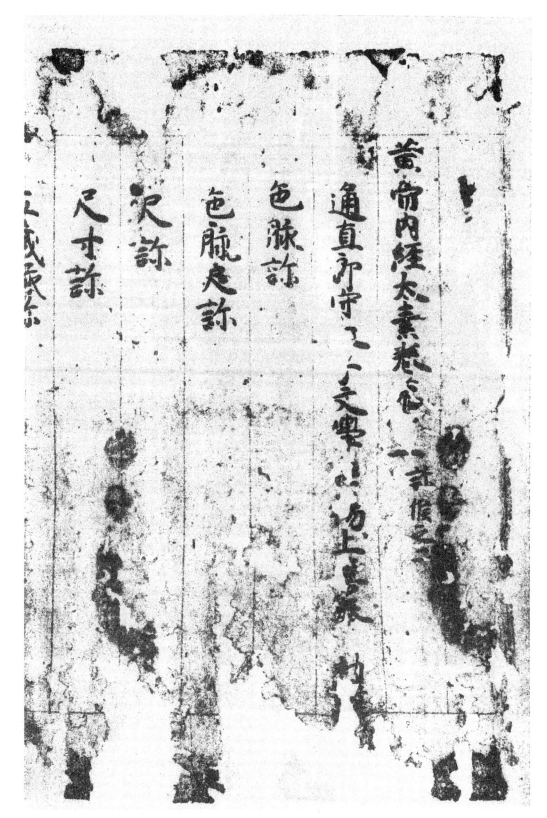

天下訣

五藏脈訣

色脈訣

黃帝問於岐伯曰：余欲臨病人觀死生，決嫌疑，欲知其要，如日月之光，可得聞乎？（明乎坐之要也）岐伯曰：色脈者，上帝之所貴也，先師之所傳也。上古之時，使僦貸季理色脈而通神明，合之金木水火土四時陰陽八風六合，不離其常，變化相移，以觀其妙，以知其要。（上帝，上古帝王者；僦貸季，上古真

火土四時陰陽八風　不離其常變化相移

以觀其妙以知其要　上帝上古帝王若人謂黄帝上古真人也上古真人伊尹黄帝等理人之色脈合道神明外合五行四時陰陽八風六合等物變化常理深觀常道物理之妙能知源妙色脈用也

欲知其要則色脈是矣　知色脈故為要也　色以應日

脈以應月常求其要則其要已　故色外見為陽故應日也脈在内見為陰故應月也日應三百六十日也月應十二月也故知色脈以為要也

夫色脈之變化以應四時之脈此上帝之所貴以合於神明也所以遠死而近生也　四時和氣為勝上代帝王貴為帝道用合神明以寶其生所以遠死長生久視也

生道以長命曰聖王　上帝理色脈通神明合於常

之至也神明以實之生所以遠死長生久視也[illegible]
以命曰聖王上帝理色脉通神明合之於常道長生久視者謂之聖王也上古[illegible]治病之
至而治之湯液十日以去八風五痺之病[illegible]病不[illegible]季已方服
湯液以其病微故十日病除也十日不已治以草蘇草荄之枝本
末為助標本已得邪氣乃服蘇葉也荄草根也助曰治之藥草根莖
藥病不可要也唯湯液當之不已乃服藥草根莖枝葉丸散酒醪醴又得病深非藥不能攻邪氣所伏也暮代之治
病也則不然治不本四時不知日月不審逆順
病形已成乃欲微針治其外湯液治其內
前云上古中古黄帝之時所以為暮代下黄帝曰上古中古當今

[illegible]

前云上古中古黄帝之時即以為春代下黄帝曰上古中古當今之時即其信也療病有療已病之病也暮代療病与古不同凡行五別一則不知根壽四時之療二則不知色脈法於日月之氣三則不審病之逆順四則不知病成未成五則不知所行療方故云以微針湯液未病已成之病也

粗工兇〻以為可病療起未已新以救

針小液攻已成之病是以他病不工而易於事故曰兇也

黄帝曰願聞要道使信曰治之要極無失脈色用之不惑治之大則逆順倒行標本不得亡神失國去故就新乃得真人言失知色脈無知損益也黄帝曰余

聞其要[illegible]

快國去故就新乃得真人無知損益也黄帝曰余

聞其要於夫子夫子言不離脉〻色〻此余之

所知也岐伯曰治之極於一黄帝曰何謂一岐伯

曰一〻者因得之黄帝曰奈何岐伯曰閉戶塞牖

繫之病者數問其情以順其意得神者昌失神

者亡〻黄帝曰善一〻得即也得神謂問病得其意也得其意忘者加之針藥去死得生故曰昌也

揆上揆癸反下徒各反

黄帝曰余聞揆度奇恒所指不同用之奈何岐伯

曰揆度者度病之淺深也奇恒者言奇恒病切求其病

得其處知其淺深故曰揆度也奇者病不得以四時死故

曰揆度者度病之淺深也奇恒者言奇病也其病
得其處知其淺深故曰揆度也奇者所病不得以四時死故
曰奇也恒者有病〻以時死不失其常故曰恒也
請言道之至數五色脈變揆度奇恒道在於一
神轉不回〻則不轉乃失其機 數理也請言道其至理
其要數者五色五脈之
變揆度奇恒之機道在〻一〻謂之神〻〻〻轉無乃神精機
動之謂也若鑒而不動則不通物變故失機 至數
之要迫近以微著之玉版命曰合玉機 神動為之理者近於
物淺微之妙故壽早救
命曰合於養生之機也 容色見上下左右各在其要
人之五臟五色〻主脈氣〻色見名曰容〻色〻見
面上下左右各當其色所乘要處者有病也 其色見淺者

面上下左右各當正色所乘要處者有病也其色見淺者
湯液主治十日已其見深者必齊主治廿一日
已其見大深者醪酒主治百日已其色夭
面脫不爲治五色各有二種一者生色赤如雞冠二者死色赤如衃血其赤色輕淺不如雞冠
者病也其病寂輕故以湯液十日得已赤色復深不如雞冠其病次輕故以湯液廿一日方已赤色大深不如雞冠其病
將重故以藥醪百日方差赤色如衃血其病必死面脫死不可治也脫者小謂面瘦無肉也百日
盡已然脈短氣絕死病溫寂甚死色之
深者懷經百日盡脈短氣來絕者大死病溫脈短氣絕亡死也色見上下左右各在

者，大死。病溫脈短，氣施亡死也。色見上下左右，各在

其要，上為逆，下為從；女子右為逆，左為從；男子

左為逆，右為順。要色見主病之處，謂是色部上下左右也。上者部上，下者部下，左者部左，右者部右。凡

祠魁之色見者，見部上為逆，部下為順；見女子部右，當要故為逆也；見女子部左，非要其處為順也；見男子部左，要處

故為逆也；見男子部右，非真要處，故為順也。易，重陽死，重陰死，陰陽反之

他，治在權衡相奪，可恒事也，陰陽反他，揆度

事也。陰盛之陽為病，陽盛衆陰為病，是用陰陽權衡相奪補寫相奪，此為奇恒事也；有知陰陽之他，此為揆度之事也。

搏脈痹躄，寒熱之交。脈動之時，二脈相搏附而動，不能相來者，此為痹躄之病，是寒熱

之氣相乘。脈孤為消，陰陽之脈，各獨見為孤，如是者少陽

搏脈痹躄寒熱之交　相去者，此為痹辟之疾，是寒熱[illegible]
之氣相交搏　脈孤為消　陰陽之脈，各獨見為孤，如是少陽脈氣獨見，無厥陰者，病為消痺也　虛為
泄為奪血　病泄則奪血，若其脈虛也　孤為逆，虛為順　陰陽各獨見，其時盛者為
逆，獨見虛者氣為和，故為順也　行奇恒之法，以太陰為始，行所不勝
曰逆，逆則死；行所勝曰順，順則活　太陰肺手太陰脈主氣者也，欲行補
寫[illegible]術相尅之法，以太陰五行之氣以為始也。行五行氣於不勝，被他乘尅，故為逆死也。行於所勝，能尅於他，故為順也。假令
為肝病，以金療之，即行所不勝也，以去療之，即行所勝之　八風四時之勝，終而復始
八風尅勝，四時代謝，為終始也　逆行一過，不復數，論要畢矣　八風四時
順行所勝也，若逆行所勝為一過也，再過為死，故不數也。假令肝病肺

味苦為終始也　運行一過□□□書言□□□四時

順行行勝也若逆行行勝為一過也再過為死故不數也假令肝病肺乘來乘為一過再過則死也故不至於數也此為誅乘理難為畢也

診病之始五決為紀欲得其始先建其母所謂五決者五脈也

診五藏之脈以知其病故為之母之本也

是以頭痛巔疾下虛上實過在少陰巨陽甚則入腎

脈足少陰為裏藏也膀胱脈足太陽脈為表府也少陰在舌本以下太陽在頭故為上也少陰虛太陽實故為頭痛巔疾也此之二脈盛則入藏也

徇蒙招尤目瞑耳聾下實上虛過在少陽厥陰甚則入肝

徇蒙謂眩冒也招尤謂自招搖頭動戰尤也尤音宥過著少陽脈厥陰脈實也

陰也則入肝也尤者有過者少陽脈厥陰脈有也

腹滿䐜脹支鬲胠下厥上冒過在足太陰陽明脈賊胃府二經病也

欬嗽上氣厥在胸中過在手陽明

太陰肺藏大腸府二經病

心煩頭痛病在鬲中過在手巨陽少陰手太陽上頭故頭痛也心藏小腸府二經病也後之三脈皆有入藏略而不言也

夫脈之小大滑濇浮沈可以指別也寸口六脈之形指下得之故曰指別

五藏之象可以類推五藏之內筋脈骨肉五藏外形故為象也五脈為五象之類推脈可以知也

上醫相音可以意識五色微診可以目察能合脈色可以萬全耳聽五音目察五色以合於脈用此三

[illegible]意診五色[illegible]

萬全 耳聽五音自察五色以合於脉用此三種從人病者所爲必當故得万全也 赤脉之至也

喘而堅診之有積氣在中時害於食名曰心痺 心脉手少陰属火色赤故曰赤脉赤脉夏脉脉如鉤其氣來盛去衰以爲平今動如人喘又堅故有積氣在胷中滿悶妨食名曰心痺積者陰氣聚者陽氣積者五藏所生聚六府所以積其始有常處聚者發無根本無所留止也

得之外疾思慮而心虛故邪從之 得之恖疾思慮外事時傷心虛邪氣因襲不從内傳以爲痺也 白脉之至也喘而浮上虛下實驚

有積氣在胸中喘而虛名曰肺痺寒熱 肺脉手太陰属金也色白故曰白脉白脉秋脉秋脉如浮其氣來輕虛以浮

有積氣在胸中喘而虛名曰肺痹寒熱太陰屬
金也色白故曰白脈白脈秋脈秋脈如浮其氣來輕虛以浮
來急去散以爲平好今雖得浮與動如人喘即知肺氣并心
〻實故驚肺居於胸積氣在於胸中出氣
多喘名曰肺痹不以肺居故病寒熱也得之醉而使
內以因酒醉力意入房喘喘傷肺之所致也黃脈之至也大而虛有積
氣〻在腹中有厥氣名曰厥疝女子同法脾脈足太
陰屬土色黃故曰黃〻脈〻好者代而不見惡者見時脈大而
虛即知積氣在於腹中腹中厥氣名曰厥疝男女同病得之
疾使四支汗出當風脾主四支過使用力四支汗出當風所致青脈之至
也長而左右彈有積氣在心下支胠名曰肝痹肝脈
足厥陰屬木色青故曰青脈青脈弦〻脈〻如弦氣來濡弱

也長而左右彈有積氣在心下支胠名曰肝痹 脈

足厥陰屬木色青故曰青脈青脈來長、脈之如弦氣來濡弱軟虛而滑端直以長以為平人好今青脈至長而左右彈即知有積氣在心下支胠為脇名曰肝痹

得之寒濕與疝同法腰痛足清頭痛

得之因於寒濕是冬而上以成其病與疝病同是厥陰脈從足循少腹上頭故腰足清頭痛足厥陰脈

之至也上堅而大有積氣在腹中與陰名曰腎痹

腎脈足少陰屬水色黑故曰黑脈黑脈冬脈冬脈如營其氣來沉而搏以為平人好今黑脈至上堅而大即知有積氣在腹中及陰中名曰腎痹

得之沐浴清水而臥

得之因以冷水沐浴及洗浴而臥也

凡相五色之奇脈面黃目青面黃目赤面黃目白面黃目黑者皆不死也

相察五色異脈凡相於

所者其色之者，所面黃目青，面黃目赤者，面

黃目白、面黃目黑者，皆不死。相五色異觀，以知於面之色者，面得土色

目之四色見於面者，以土為之本，故皆生之。面青目赤，肝病心乘，名曰實邪。面赤目白，心病

肺乘，名曰微邪。面青目黑，肝病腎乘，名曰虛邪。面黑目白，腎病肺乘，大曰虛邪

之也。面赤目青者，心病肝乘，名曰虛邪。皆死。此之五色皆為他尅，不得其時，不療者

死。但色雖知且依一義如此也

色脈尺診

黃帝曰：邪之中人，其病形何如？岐伯荅曰：虛邪

[illegible]

黄帝曰邪之中人其病形何如岐伯曰虚邪之中身也洒淅動形正邪之中人也微先見于色不知于身若有若無若亡若存有形無形莫知其情黄帝曰善虚邪謂八虚邪風也正邪謂四時風也四時之風生養万物故爲正也八虚之風從虚鄉來傷損於物故以虚風虚正風雖非毒氣因腠理開輒入故曰邪風虚邪中人入腠理如水逆淅於洒色立動形故爲人病正邪中人微而難識先見不覺於身故難而易去也黄帝曰岐伯余聞之見其色知其病命曰明按其脉知其病命曰神問其病而知其處命曰工余願聞見而知之按而得之問而極之

知其病命曰神，問其病而知其處命曰
工。余願聞見而知之，按而得之，問而
極之，為之奈何？察色之明，按脈之神，審問之工，為訣之要，故並請之。岐伯
答曰：夫色脈與尺之相應也，如桴鼓影響桴
之相應也，不得相失也。桴，扶留反，擊鼓椎也。春中色脈及尺，以爲三種，不空
間也。色，謂面色；脈，謂寸口；尺，謂尺中也。五藏六府善
惡之氣，見於色部、寸口、尺中，三候相應，如椎鼓相
聲響不相失也。如所色面青，寸口脈弦，尺膚有異，內外亦相失之。此亦本末根葉
之出候也，故根死則葉枯矣。此則尺地以爲根，莖色脈以爲枝葉。
故根死枝[illegible]也。故肉即是尺之皮

之出候也故根死則葉枯矣差色脈以為枝葉

故根死枝葉枯變色脈形肉不得相失也根肉節是天之皮膚色脈足之作三種

不相失也故知一則為工知二則為神知三則神且

明矣故但知聞極一者唯寸為工知問及脈工形為神知問及脈并膚察病情曰神明也黃帝

問曰願卒聞之岐伯答曰色青者其脈

弦青為肝色弦為肝脈也故青弦為肝表也問色脈足三種之異今但答色脈不言尺者以尺變脈數

也色赤者其脈鉤赤為心色鉤為心脈赤鉤為心表也色黃者

其脈代黃為脾色代為脾脈黃代為脾表也色白者其脈毛白為肺色

毛為肺脈白色黑者其脈石黑為腎色石為腎脈

其脈代脈黄代為脾表也色白者其脈毛肺色
毛為肺脈白毛為肺表也色黑者其脈石黑為腎色石為腎脈黑亦為腎表也石一
曰堅堅亦石也見其色而不得其脈反得其相勝之
脈則死矣假令肝病得見青色其脈當弦反得毛脈是肺來乘肝被尅故死餘者准此也
得其相生之脈則病已矣假令肝病見青色雖不見弦而得石脈石為腎脈水
生木是得相生之脈故病已也黄帝問岐伯曰五藏之所生變化之病
形何如岐伯荅曰必先定其五色五脈之應其
病乃可別也欲知五藏所生變化之病必定面之五色寸口五脈即病可知矣黄帝
問曰色脈已定別之奈何岐伯曰調其脈

病在可察也，內之五色，寸口王脈，即病可知矣 黄帝
問曰：色脈已定之，別之奈何？岐伯答曰：調其脈
之緩急小大滑濇，而病變定矣 雖得本藏之脈不一
脈便有六變，觀其六變，則病形可知矣 黄帝問曰：調之奈何？岐伯答
曰：脈急者，尺之皮膚亦急 脈急者，寸口脈急也。尺之皮膚者，從
尺澤至關，此為尺分也。尺分之中，關後一寸動脈，以為診候尺脈之部也。一寸以後至尺澤，稱曰尺之皮膚。尺皮膚下手太
陰脈氣從藏來至指端，從指端還入於藏，故尺下皮膚與尺寸脈六變同也。皮膚者，以手捫循尺皮膚，急與寸口脈同
脈緩者，尺之皮膚亦緩 寸口脈緩，以手捫循尺皮膚緩之 脈小者
尺之皮膚亦減而少氣 寸口脈小，尺之皮

脈急者尺之皮膚亦急 脈急尺皮膚緩之 脈小者
尺之皮膚亦減而少氣 寸口脈小尺之皮膚減而少氣也 脈大者
尺之皮膚亦賁而起 寸口脈大尺之皮膚賁起能太一曰盈大恐是人改從太 脈
滑者尺之皮膚亦滑 按寸口脈滑即尺皮膚亦滑 脈濇者尺之
皮膚亦濇 寸口脈來蹇濇尺之皮膚亦濇不滑也 凡此六變者有微有
甚故善調尺者不待於寸口 寸口與尺各有六變而六變各有微甚可
審取之故調寸口脈六變之又調於尺中六變者可知病若能審調尺之皮膚六變即得知病不假診於寸口也
善調脈者不待於色 善調寸口之脈知病亦不假察色而知也 能參

善調脈者不待於色。言不假察色而知也。能參

合而行之者，可以為上，上工，上工十全九；行二

者為中工，中工十全七；行一者為下工，下工十

全六。察色診脈調尺三法合行，得病之妙，故十全九，名曰上工；但知尺寸二者，十中全七，故名中工；但明尺一法，十中全六，以為下工也。

尺診

黃帝問於岐伯曰：余欲無視色持脈，獨調其

尺，以言其病，從外知内，為之奈何？無觀面之五色，無持寸口之脈，

雖診尺脈及尺皮膚[illegible]

尺以言其病從外知內為之奈何 無持寸口之脈

雖診尺脈及尺皮膚聲欲從外知內病生所由

岐伯答曰：審其尺之緩急小大滑濇，肉之堅脆，而病形定矣。尺之緩急，寺謂尺脈及尺皮膚緩急小大滑濇六種別也。肉堅脆者，謂尺分中肉之堅脆也。知此八者，則內病可知也。

視人之目果上微癰，如新臥起狀，其頸脈動，時欬，按其手足上，窅而不起者，風水膚脹也。目果，眼瞼也。癰，欬腫起也。頸脈，足陽明人迎也。動，不以手按之，見其動也。窅，烏聚反，深也。不起者，手足腫，脈按之，久而不起，如按泥也。此為風水膚脹者。

尺膚滑以淖澤者，風也。尺分之中有潤，故滑也。淖澤，光澤也。

此同之 [illegible] 解㑊，懈惰也。尺內耎

尺膚脈者[illegible]淖也淖澤光淨也

此同之候也尺肉弱者解㑊安臥解㑊懈惰也尺肉更弱者身體懈墮不欲安臥

脫肉者寒熱不治骨寒熱消瘦脫肉不可療也尺膚滑

澤脂者風也尺之膚滑而潤澤有脂者內有風也尺膚澀者風痺尺膚澀者內寒故有風痺之

尺膚麤如枯魚之鱗者水洪飲也洪飲謂是甚渴暴飲水洪腸胃之外皮膚之中名曰洪飲尺分之膚麤如魚鱗者以為候也尺膚熱

甚脈盛躁者病溫也尺分皮膚熱甚其一寸之內尺脈盛躁溫病候也其脈

盛而滑者汗且出也一寸之內尺脈盛而滑者汗將出尺膚寒甚

[illegible]者[illegible]也尺膚寒甚尺脈小者其[illegible]

盛而滑者汗且出也 而滑者汗將出 尺膚寒其
炬以燔古作炷明堂也 脈小者泄少氣也 尺膚冷尺脈小者其病泄利又少氣也 尺膚炬
然先熱後寒者寒熱也 始尺皮膚先熱後冷病寒熱也 尺膚
先寒久持之而熱者亦寒熱候者也 尺皮膚先冷久
持乃熱亦是寒熱之病者也 肘所獨熱者腰以上熱 當肘皮膚獨熱
者即腰以上至頭熱也 手所獨熱者腰以下熱 肘前獨
熱者膺前熱 腕以前爲手也手之獨熱主腰以下熱從肘向手爲肘前獨熱者主
膺前熱也 肘後獨熱者肩背熱 從肘向肩爲肘後肘後熱者主肩背熱也
臂中獨熱者腰腹熱 從肘至腕中間爲臂之

熱也。肘後獨熱者，皮膚熱者，主肩背熱也。

臂中獨熱者，腰腹熱。從肘至腕中間為臂之，當臂中熱，熱腰腹熱者也。

肘後麤以下三四寸熱者，腸中有蟲。從肘後下向臂三四寸許皮膚麤處，是腸中有蟲之候者也。

掌中熱者，腸中熱；掌中寒者，腹中寒。掌中冬熱，主大腹、小腹熱。

魚上白肉有青血脈者，胃中有寒。青脈主寒，故胃中寒。

尺炬然熱，人迎大者，當奪血。尺之皮膚炬然熱，人迎大於常者，奪血之候也。

尺堅大，脈小甚，少氣，悗有加，立死。尺之皮膚堅而責大，寸脈過少，主於少氣而悗悶者，更因加少氣悶者，立當死也。

怒不因於逆死氣而怒者更因於少氣怒者並當死也

尺寸訣

黃帝問岐伯曰平人何如對曰人一呼脈再動人一吸脈亦再動命曰平人平人者不病也醫不病故為病人平息以論法也謂以病法先醫人自平一呼脈再動一吸脈再動是醫不病調和脈也然後數人之息一呼脈再動一吸脈再動即是彼人不病者也若彼人一呼脈一動一吸脈一動者名曰不及皆有病也故曰醫不病為病人平息者也人一呼脈一動人一吸脈一動者曰少氣呼吸各一動名曰不及故知少氣

人一呼脈三動一吸脈三動而躁尺之熱曰病溫

脉一動人一吸脉一動者曰少氣（不及故知少氣）

人一呼脉三動一吸脉三動而躁及尺熱曰病溫（脉之三動以是氣之有餘又加躁疾尺之皮膚復熱即陽氣盛故為病溫溫之狀夏至日前發也若後夏至日發者病暑也一呼三動而躁尺皮不熱脉滑曰風脉濇曰痺也）尺不熱脉滑曰風濇曰痺

人一呼脉四至曰死（四至陽氣獨盛陰氣衰絕故死）脉絕不至曰死（以手按脉一來所絕更復不來故死）乍踈乍數曰死（乍踈曰陰乍數曰陽陰陽動亂不次故曰死也）

平人之常氣稟於胃胃者平人之常氣也

人無胃氣曰逆逆曰死（和平之人五藏氣之常者其氣各各稟胃氣一一之藏若無胃氣其脉獨見不胃發益少平胃者人迎胃脉者也五

人無胃氣曰逆〻者死各〻稟胃氣一〻之藏者無胃氣其脉獨見爲逆故致死

春胃微弦曰平胃者人迎胃脉者也五藏之脉弦鉤代浮石皆見於人迎胃脉之中胃脉即足陽明脉至於水穀爲五藏六府十二經脉之長所以五藏之脉欲見之時皆以胃氣將至人迎也胃氣之狀柔弱是也故人迎五脉見時但弦鉤代毛石〻自見無柔弱者即五藏各失胃氣故脉獨〻見〻當死春脉胃多弦少曰微〻曰平人

弦多胃少曰肝病弦多胃少即肝少穀氣故曰肝病也

但弦無胃曰死肝無穀氣致令肝脉獨見故死也

胃而有毛曰秋病春胃見時但得柔弱之氣竟無有弦故胃中有毛即是肝時有病□來〻以胃氣弦故至秋有病

毛甚曰金病春得毛脉甚於胃氣〻金尅火故曰今病之也

藏真散於肝〻藏筋之氣藏真者真弦脉也弦無胃氣曰微弦脉

肺金尅火，故曰今病之也。

筋之氣藏真者，真弦脈也。弦無胃氣曰䏰弦脈，不能自發，以其肝藏發無胃氣，所以藏真䏰於肝也。故肝藏神，藏於魂也。肝藏氣者，藏筋氣也。夏胃微句曰平。夏脉人迎胃多鉤少曰微鉤，微鉤曰平也。句多胃少曰心病。心病食少，數氣小令脈乎人迎鉤多胃少，故知心病也。但句無胃曰死。心病害食，心無穀氣，致令鉤無胃氣，故死。胃而有石曰冬病。心大也，夏心王時，逆得腎脈，雖有胃氣，惟得石，冬時當以病，水尅火。石甚曰今病。夏於胃氣雖得石脉，生秋發病，今夏得石脈甚少胃氣，賊邪來尅，故曰今病。藏真痛於心，心藏血脈之氣。心無胃氣，即心有痛病，致心藏真脈見人迎，故曰藏真痛於心也。故心藏神。長夏胃微耎弱

肝真病者心之肝至用之氣 痛病邪之藏真脉
見人迎故曰藏真痛於心也故心藏神
藏於神氣也心藏氣藏五脉氣之也 長夏胃微耎
弱曰平胃少弱多曰脾病 耎而免夏愞也長夏六月也脾行胃氣以
灌四旁故四藏脉重於人迎時有胃氣即四藏平和也若脾病
不得爲胃行氣重於人迎即四藏之脉各無胃氣故四藏有病也
問曰長夏是脾用事此言胃氣不言脾者何也答曰脾者
其君不可自見是以於長夏時得胃氣者即得脾氣故於
長夏胃氣見時微有不足者曰平好者受重少虛 但代
虛弱者即是脾病致使胃氣少而虛弱也
無胃曰死 人之一呼出心與肺脉有二動一吸入肝與腎
脉有二動八呼吸之定息之時脾受氣於胃者
與四藏以爲呼吸故當定息脾受氣時其脉不動稱之曰代代
息也當代之時胃氣當見若脉代時無胃氣則脾無穀氣所
以致 耎弱有石曰冬病 長夏脾胃見時中有腎脉起

息也。當代之時，胃氣當見，旨脉代時無胃氣，則脾無穀氣，所以餓死也。

耎弱有石曰冬病。長夏脾胃見時中有腎脉，是為微邪來乘，不已，至秋當病也。

弱甚曰今病。脾胃之脉虛弱甚，穀氣微少，故別今病也。

藏真傳於脾，々藏肌肉之氣。脾藏真脉謂之唯有之胃氣唯代之脉，從脾傳來至於人迎也。故脾藏々稱藏於意也。脾藏々氣藏肌肉氣之也。

秋胃微毛曰平。秋時人迎見一分胃毛少曰平也。

胃少毛多曰肺病。穀氣少也。

但毛無胃曰死。真藏毛而見脉。

有弦曰春病。肝來乘肺，是邪來乘，不已，至春木王之時當病。

弦甚曰今病。有胃無毛，但有弦者，是木反尅金，故曰今病。

藏真高於肺，以行營衛陰陽也。藏真之脉見時，高於肺藏和平之々高

病木反尅金故曰今病　藏真高於肺以行營

衛陰洩曰死　藏真之脈見時高於肺藏和平之〻高　過也〻肺為陰〻無胃之氣既過肺之和

氣〻洩是肺傷肺傷肺主行營衛肺既　傷已是陰氣洩漏故致死也　冬胃微石曰平　冬志　逆脈

胃耎弱氣〻多石　脈微者名曰平人　胃少石多曰腎病　腎〻之氣故令耎　弱氣少堅石脈實

故知　腎病　但石無胃曰死　藏真脈見　欲然死也　石而有句曰夏

病　石脈水也鉤脈火也石脈見時有鉤　見者微耶來乘不已重夏當病也　句甚曰今病

雖有胃氣鉤甚　脈〻令病也　藏真下於腎〻藏骨髓之氣

腎為五藏和氣之下令腎無胃氣乃過下於腎也故腎　藏〻神藏於志也腎藏〻氣骨髓氣也〻此以上所來

人〻逆胃脈候　胃之大絡名曰虛里貫鬲絡肺

藏之神，藏於志也；腎藏之氣，骨髓氣也。此以上所言人迎胃脈候五藏氣也。胃之大絡，名曰虛里，貫鬲絡肺，出於左乳下，其動應衣，脈下詳。胃絡之名號虛里。虛里，城邑居處也。此胃大絡乃是五藏六府所稟居處，故曰虛里。其脈出左乳下，常有動，以應衣也。宗氣盛喘數絕者，則病在中。宗，尊也。此是大絡，一身之以血氣所尊，故曰宗氣。其脈動如人喘，數而絕者，病在藏中也。結而橫，有積矣。此脈結者，腹中有積居也。積，陳病也。絕不至曰死。此虛里脈來已更不繼來，是胃氣絕，所以致死。欲知寸口脈太過與不及，寸口之脈中手短者，曰頭痛。上來詳人迎診，以下詳寸口診。故曰欲知寸口之脈有病，唯有太過與不及也。中者氣

寸口之脈中手短者曰頭痛以下共寸口脈

其欲知跡寸口之脈有病，唯有次過與不及也。以者氣行處也。從關至魚一寸之處，有九分之位，是手太陰氣所行之處，故曰寸口。其脈之動不滿九分，故曰短也。短者陽氣不足，故頭痛也。

乳之下其動應衣，宗氣泄乳下虛里之脈，是陽氣盛滿，其脈動以應衣，以為宗氣泄溢者也。

寸口之脈中手長者足脛痛寸口之脈過九分，又上曰長，以陽氣有餘，陰氣不足，故脛痛也。

喘數絕不至曰死長而喘數，所以致死。

寸口脈中手如從上擊者曰肩背痛脈從下向上擊人手，如從下有物上擊人手，是陽氣盛，陽脈行於肩背，故知肩背痛也。

寸口脈中手沉而堅者曰病在中沉堅者陰脈也，病在於藏。

故沉

寸口脈浮而盛者曰病在外浮盛陽也，亦在於外

痛也寸口脈沉而堅者曰病在中也病在於藏
故沉堅也寸口脈浮而盛者病在外浮盛陽也病在於府故浮盛也寸口
脈沉而弱曰寒熱及疝瘕少腹痛沉陰氣甚也弱為氣虛也
陰盛爲虛故有寒熱疝瘕病少腹痛也寸口之脈沉而橫堅曰脇下有
積腹中有橫積痛其脈沉橫而堅者陰盛故脇下有積〻陰病也橫病下脈橫也脇側
痛脇下〻廣大其陰病少腹中有橫積也寸口脈沉而滑堅者病曰甚在外
寸口陽也滑者陽也堅為陰也陽盛陰少故病曰甚在六府也脈小實而堅者病曰甚
在內小實為陰堅亦是陰故病曰甚在五藏也有胃氣而和者病曰無
也寸口之脈雖小實堅者有胃氣[illegible]人皆[illegible]胃

[illegible]故病曰甚在五藏也不[illegible]

也寸口之脈雖小實然若有胃氣和之雖病不至於困也脈小滑以濇者謂

之久病小弱以濇是陰陽虛弱故是久病脈滑浮而大疾者謂之新

病滑爲陰也浮亦陽也其脈雖濇而浮流利所知新病脈滑曰風氣虛而行利所是風

浮之候也脈緩而滑曰熱中緩滑陽也諸下如[illegible]淺絕而去不流利是熱中候者脈

濇曰痺濇陰也按之指下澁而不利是寒遲之氣聚爲痺也脈盛而緊曰脹

寸口脈盛緊實者是陰氣積故爲脹也脈順陰陽病易已人迎氣口

大小順四時者雖病易愈也脈逆陰陽脫者病難已人迎寸口大小不順四時

既逆陰陽故脈逆四時之病難[illegible]人迎小於寸口

雖病易愈也所[illegible]間·脈[illegible][illegible][illegible]已 小不順四時

訖逆陰陽故病難已也 脈逆四時·病難已 春夏人迎小於寸口·秋冬寸口小於人迎

時矣·是脈反四時故病難已也 脈急者·曰疝瘕少腹痛 按其脈如

[illegible]弓弦·是陰氣積故知·疝瘕少腹痛也 寸口脈·沉而喘·曰寒熱 沉陰氣也·

脈動如人喘者·是爲陽也·即知·寒熱也 臂多青脈·曰脫血 尺地也·尺地絡脈

青黑爲寒·即知·脫血·以其陽虛陰盛乘陽·故脈青之 尺脈緩濇·謂之解

㑊·安臥 緩爲陽也·濇爲陰·以尺關至尺取一寸以爲尺部·又陰·又陰氣多·解㑊·安臥之也 尺脈盛

謂之脫血 尺脈盛·謂陰氣盛·陽氣虛·故脫血也 尺濇脈滑·謂之多

汗 尺之皮膚·濇 尺之脈·滑 [illegible]

言之月至陽氣虛故脉急也言諸月言之氣

汗尺之皮膚濇，尺之脉滑，是爲陽盛陰虛，故泄汗也。尺寒脉細，謂之後泄。尺之皮膚冷，尺脉滑細，是爲内寒，故後泄也。脉尺麤常熱者，謂之熱中。謂之尺地皮膚熱，又常熱，是其熱中也。肝見庚辛死，心見壬癸死，

脾見甲乙死，肺見丙丁死，腎見戊己死，

是謂真藏見皆死。真藏分見被尅之時，故皆死也。

頸脉動疾，喘欬，曰水。頸脉是胃諸脉人迎也。人迎常動，今有此病，故動疾，可見喘欬也。有本爲腎脉動也。目果微腫，如臥起之狀，曰水。目果，目上下瞼也。瞼

之微腫呈一之重刀人寒遲氣感故足[illegible]

腎脈動也　目裹微腫如臥蠶起之狀　下瞼也瞼之微腫水之候　足脛腫曰水　寒濕氣盛故足脛腫水之候也　目黃者曰黃疸也　陽脈在目故黃疸熱病自爲黃也多但反也　溺黃赤安臥者曰黃疸　脬及膀胱中熱安臥不勞者黃疸病候也　已食如飢者胃疸也　胃中熱消食故已食飢皆疸病　面腫曰風　風陽也諸陽在面故風病面先腫也　女子手少陰脈動甚者妊子　手少陰脈心經脈也心脈主血女人懷子則月血外閑不通故手少陰脈內盛所以動也　脈有逆順四時未有藏形　寸口人迎且逆且順即四時未有真藏脈形也　春夏而脈瘦者秋冬浮大　春夏人迎微大爲順今反瘦小爲逆秋冬人氣沉而反氣脈盛

未有真藏脈形也　春夏而脈瘦者秋冬而浮大　人迹
洪大為順今反瘦小為逆秋冬人　風熱而脈靜　脈靜者風
沈濇小為順今反浮大為逆也
熱之
病也　泄而脫血　風熱之病虛故
多脫泄血脫也　脈實者病在中
是陽虛陰實故
病在五藏　脈虛者病在外　陰虛陽實故
病在六府也　脈濇
堅皆難治命曰反四時者也　脈濇及堅者此陰無
陽故曰難療名曰反四
時之
脈也　人以水穀為本故人絕水穀則死　反四時之
脈無水穀
之逆者
致死　脈無胃氣亦死所謂無胃氣者但得真
藏脈不得胃氣也所謂肝不弦腎不石也　雖
有
水穀之氣以藏有而無胃氣者肝雖有弦反無胃氣不名

藏脈不得胃氣也所言脈無胃氣者不大也

水穀之氣以藏有胃無胃氣若肝雖有弦以無胃氣不名平弦也腎雖有石以無胃氣不名平石故不免死也

太陽脈至洪大以長以手按人脈洪大以長者是太陽脈也即手足太陽小腸膀胱脈之狀也

少陽脈至乍踈乍數乍短乍長按之似乍踈乍數乍短乍長者少陽脈也即手足少陽三焦及膽脈之狀

陽明脈至浮大而短是謂三陽脈也按之浮大而短者陽明脈也即手足陽明胃及大腸之候也足為三陽脈之稱

五藏脈訣

肝脈弦心脈鉤脾脈代肺脈毛腎脈石是謂五藏脈肝心脾之序素問九候上下無肺名肺脈稱毛又名

[illegible]

藏脉所以脾二〻壹向九〻上下互起異名肺脉辨毛又名浮腎脉辨石又名營是五脉同異君随事比〻類〻名乃衆多也

平心脉来累〻如連珠如循琅玕曰心平

心脉夏脉也夏日万物榮華故其脉来累〻如連珠以手按之如循琅玕之珠泛為平和之脉也而稍鈎者曲之遠珠高下不如琅玕直故曰鈎也

夏以胃氣為本

胃為五藏資糧故五時之脉皆以胃氣為本也

病心脉来喘〻連屬其中微曲曰心病

病心脉来動如人喘息連屬曲指下發覺曲行是為心之病脉者也

死心脉来前曲後居如操帶句曰心死

脉来時按之指下覺初曲後直如操帶鈎前曲後直曰心死脉居直也

平肺脉来厭〻

[illegible]

帶鉤前曲後直曰心死脈居直也 [illegible]

厭厭聶聶如落榆莢曰肺平秋以胃氣為本 厭伊

莢及聶聶之涉反厭厭聶聶如人以手按已落榆莢得之循下蔫曰肺平肺也

病肺脈來不上不下如循雞羽曰肺病 按於毛脈如人以手摩循雞翅之羽得於心蕃以為肺之病脈也

死肺脈來如物之浮如風之吹毛曰肺死 脈之動也

如草葉之浮於水著難也而逐風動如斯得者曰死脈者也失元也有形則見為毛五聲無形耳如吹雞五聲之動非實目所難斯觀歡然唯意取斷指下以譬喻之之得在於神不可以事難之知也

平肝脈來濡弱招招如揭長竿曰肝平春以胃氣為本 揭其謁反

高舉也肝之弦脈猶如琴瑟調品之柱不緩不急而于下

可指之如揗……曰肝平，春以胃氣爲本 按又

高峯也。肝之弦脈，猶如琴瑟調品之絃，不緩不急，

又如人高擧竹竿之梢，掐之，軟而且弱，此爲平也 病肝脈

來盈實而滑，如循長竿，曰肝病 盈滿實也。肝氣實滑，如循長竿，少軟

胃氣，故肝有病也 死肝脈來急而益勁，如新張弦，曰肝

死 肝真藏脈來勁急，猶如新張琴瑟之弦，無有調和，是無胃氣，故爲死候也 平脾脈來和柔

相離，如雞踐地，曰脾平，長夏以胃氣爲

本 按脾脈大，柔和，柔，胃氣也。相離，中間空，若代也。如雞行踐地，蹤中間空也。中間代者，善，不見也 病脾

脈來實而盈數，如雞擧足，曰脾病 實而盈數，如雞之擧足之時

脈中間不空，數而急，見此之見脾脈……曰……一脈

脾[illegible]不[illegible]實而盈數如雞[illegible]舉足而
聚，中間不空，從而惡見，比之　死脾脈來，銳堅如烏之喙，
無代，故是脾病也
如鳥之距，如水之流，如屋之漏，曰脾死。按脾脈來，堅尖聚氣
而不相離，上銳下指，如烏喙，如水流之
動，又如屋漏之滴人指，脾脈死候也。平腎脈來，喘喘累
累如句，按之而堅，曰腎平。冬以胃為本。句，平也。累累，下堅實而
下，此為石脈之形，故為平也。病腎脈來，如引葛，按之
有本為揣揣累累之也
而益堅，曰腎病。腎之病脈，按之如按引葛，逆指而下也。益堅，始終堅者，是為腎平而更後堅故
腎病之也。死腎脈來，發如奪索，辟辟如彈石，曰腎死。
腎之石脈來，指下如奪索，一頭堅之，故隨極是奪索而皮曰[illegible]

之也死腎脈來發如奪索辟辟如彈石曰腎死腎之石脈來揗下如索一頭擊之故頭揗之索奪而去如以彈石彈揗辟辟之狀是腎之死脈候之也

岐伯曰

心脈揣堅而長當病舌卷不能言揣動也長謂寸口脈長一寸也此為急脈盛動堅心脈上至舌下故盛動堅舌卷不能言

其耎而散當消渴自已動而堅者病舌卷耎而散者病消渴以有胃氣故自已由下少陰貫腎胳肺繫舌本故之

肺脈揣堅而長當病唾血肺脈浮短今動堅長知血胳盛傷故唾血也

其耎而散者當病灌汗至今不復散發以肺氣虛故脈耎散也虛故腠理開遺汗出如灌至今不復也

肝脈揣堅而長色不青當病墜若摶

因血在脅下令人喘肝脈耎而弦今動堅示長之去

不復也肝脉搏堅而長色不青當病墜若搏

因血在脅下令人善喘肝脈更弦今動堅而長者色又不相應者是人當有々墜々傷損至在脅下又令善喘故也

若耎而散其色澤當病溢

々飲々々者渴暴多飲而易入肌皮腸胃之外易古太若脉耎散色又无澤者當因大渴暴飲水溢腸胃之外易入肌皮之中名曰溢飲之病也胃脉搏堅

而長其色赤當病折髀胃脉耎弱今動堅長又他色來然故當病折髀以是陽明脉行髀故也

其耎而散者當病食痺髕痛胃虚不消水穀故食即胃中為痺而痛又脉行於膝故病膝髕痛髕膝脉語脊也脾脉搏堅而長

其色黄當病少氣脾脉耎弱今動堅長雖得其色

髁故病髁髓痛髓脈繞骨也 肝脈搏堅而長

其色黄當病少氣 脾脈耎弱今動堅長雖得其耎本色以其陽虚故病少氣

而散色不澤者當病足胻腫若水狀 足太陰脈循胻故胻虚色不澤者胻腫若水之狀也 腎脈搏堅而長其色黄而赤當

病折脊 腎脈沉石今動堅長黄色乘之赤色反來尅故病脊痛以足少陰脈營脊故也

其耎而散者當病少血至今不復 陰脈大陽氣虚故少血得之在久至今不復也

黄帝問於岐伯曰故病五藏

發動因傷色各何以知其久暴至之病乎

其病發於五藏有傷其候五色白寸口[illegible]

黄帝曰：診病名何以知其久暴至之病乎

其病發於五藏有傷，其假五色，何以知其久病新暴之別　岐伯對曰：悉乎哉問也！故其脈小色不奪者，新病也。邪始入於五脈，故脈小未甚傷，於五氣，故診內五色不奪，是知新病。故其脈不奪其色奪者，久病也。脈爲其本，色爲標也。本受邪氣已言受與標，故脈本色甚奪者，知是久病。故其脈與五色俱奪者，此久病也。內之五脈，外之五色，二俱奪者，知病已成在久。故其脈與五色俱不奪者，新病也。人之有病，五脈五色二俱不奪者，其病未行五氣，故知新病也。故肝與腎脈並至，其色未行五氣故知新病也肝與腎脈並至其色蒼赤當病毀傷不見血已見血而濕若水中也弦石俱至而色見青赤其人當病毀擊而傷其傷見色故青赤蒼也若毀擊出血血濕若居水中者此為候也尺內兩傍則季脅也從關至尺澤為尺也季脇之部當在尺中央兩傍不在尺外兩傍季脇有病當見此處尺外以候腎尺中兩傍之外以候兩腎之有病當見此部也尺裏以候腹中自尺內兩中間胸候腹中跗上以候胷中當尺為膺者通前字故為附耳當尺裏以上皮膚以候胷中之病前以候前後以候後當此尺裏附前以候胷腹之前附後以候背後跗上鬲上也當尺裏附上皮膚以候膈上也一曰竟上竅[illegible][illegible]脊腹中者也當尺裏胷上以下以為

之前，附後以候背後[illegible]上也，以候膺上也，一曰竟

上竟 鑄 竟下者，腹中事也。竟尺裏，膺上以下以爲臍下之下，即腹中事。

麤夂者，陰不足，陽大有餘，爲熱中附之

下也。尺之皮膚文理麤大者，是陰衰陽盛熱氣薰膚，致使皮膚麤起，故爲熱中。來疾去

徐者，上實下虛，爲厥巔疾。來疾陽盛，故上實也；去徐陰虛，故下

虛也。上實下虛，所以發巔疾也。來徐去疾，上虛下實，爲惡風。

上虛受風，故惡風也。有俱沉細數者，少陰厥。沉細皆陰，故沉細數少陰

厥逆。沉細數散者，寒熱也。沉細陰也，散爲陽，故病寒熱也。浮而散者

[illegible]胸云過[illegible]

逆沉沉緊緊裏前者實熱也陽故病寒熱也沉而前者
爲胸作 胸亦通 又目燥 諸浮而躁者皆在陽則爲熱其
右躁者在左手 浮躁皆陽故在陽則爲熱也諸陽 脈脈左者絡右右者絡左故其右躁而
病本在左手也 諸細而沉者皆在陰則爲骨痛 細之与沉皆是 陰脈主於骨痛
其有静者在足 其脈沉細仍静 者在足之病也 數動一代者
病在陽之脈瀒洩及便膿血 三動已去静數々動 一代息者陽脈病也
故數動一息即是陰實 陽虚故瀒洩便々膿血也 諸過者切之濇者陽氣
有餘也 陽氣々有餘静遲陽過之脈應浮而滑 更濇者以其陽氣太盛故極更成濇 滑者
陰氣有餘也 陰脈沉濇今反滑者 陽氣有餘也

有餘也 更濇者，以其陽氣太盛，故極已成濇。 滑者
陰氣有餘也 陰脉沉濇，今反滑者，以陰過極，反成滑。 陽氣有餘爲身
熱毋汗 陽盛有餘，極反爲陰，外閉腠理，故汗不出，其身熱也。 陰氣有餘爲多
汗身寒 陰氣有餘，極反爲陽，外開腠理，故汗常出，其身寒也。 推而外之，内
而不外，有心腹積。推而内之，外而不内者，
有熱 五藏爲内，陰也；六府爲外，陽也。用鍼之者，欲瀉陰補陽，即推而外也，而内實難瀉，即内而不外，故知心腹病積也；欲瀉陽補陰，即推而内之也，而外實難瀉，即外而不内，故身外有熱。 推而上之，上
而不下，膂足清 清 推而下之，下而不上者，頭
項痛 上爲頭項，下爲膂足，推下向上，氣不能下，故知要

而不下畢是清排而下之二一然不上者畢

項痛上為頭項下為膂足推下向上氣不能下故知腰足疼也推上向下氣不能上故知頭項痛也桉之至骨脈氣少者膂脊痛而身寒有痹脈之沉細按之至骨少得其氣即知有寒膂脊為痛身寒痹也黃帝曰請問脈之緩急小大滑濇之病形何如請向五藏之脈各有六變以候病形岐伯曰臣請言五藏之變病也心脈急甚者為瘛心脈同脈緩大滑寺三變為陽也急小濇寺三變為寒陰也夏時訬陽心脈如新張弦急甚者寒也筋脈急痛以為瘛也下書急者皆如弦急非為疾也微急為心痛引背其心脈來如弦微急即脈微弦急心微寒故

急者皆如弦急，非善瘈也。[illegible]

食不下 其心脉來如弦，微急，所脉微弦急，心微寒，故心痛引背，心系而痛，胷下寒，咽中不下食也。

緩甚為狂笑 心脉緩甚者，寒為陽也，緩甚熱甚也，熱甚在心，故發狂多笑。

微緩為伏梁，在心下，上下行，時唾血 心脉微緩，所知心下熱聚以為伏梁之病，大如人臂，從脅上至於心，伏在心下，下至於臍，如彼橋梁，故曰伏梁。其氣上下行來，衝心有傷，故時唾血。

大甚為喉吤 心脉至氣甚，氣上衝於喉咽，故使喉中吤吤而鞕也。吤，古介反也。

微大為心痺引背，善淚出 心脉微大，風濕之氣衝心為痺痛，以後引背，瘈及引目，故善淚出也。

小甚為善噦 小甚，陰也。小甚，心之氣血皆少，心氣寒也。心氣寒甚，則胃咽氣有聚散，故為噦也。噦，於月反。

微小為消癉 小而不盛曰微，小者陰也，心氣內虛而有小

小甚爲善噫 氣實，甚則胃咽，氣有餘散，故爲噫也。微於
月及 微小爲消癉 小而不盛曰微。小者，陰也。心氣內少而有小寒來擊，還內熱更甚，發爲消癉。癉，熱也。內熱
消瘦，故曰消癉。癉音丹也。滑甚爲善渴 滑，陽也。陽氣內盛則中熱，熱故渴也。微滑爲心
疝引臍小腹鳴 陽氣盛內，有微熱衝心之陰，邂發爲心疝，痛引小腹腸鳴者也。微濇
濇甚爲瘖 濇，陰也。濇者，血多氣少。心主於舌，心脈血盛上衝於舌，故瘖不能言之也。微濇
爲血溢維厥耳鳴巔疾 微濇，血微盛也。血微盛者，溢於鼻口而出，故曰血溢。維厥，
血盛陽維脈厥也。陽維上衝，則上實下虛，故爲耳鳴巔疾者。肺脈急甚爲巔疾 肺脈也。脈
有陰急，是爲寒氣上衝，陽𧄼發熱在上，上實下虛，故爲巔疾。微急爲肺寒熱怠 肺以

[illegible]

熱在上〻鬲下虚，故為癲疾 微急為肺寒熱怠

惰，欬唾血，引腰背胸，苦鼻宿肉不通 肺以急寒

弦急即是有寒，寒肺〻陽与〻〻主臓，則二俱作病，為脈急

熱也。脈〻病，不行於氣，身體怠惰，肺得寒，故欬，欬〻甚傷中

故唾血，欬，復引腰及背胸而痛，肺病出氣鼻

塞，因即鼻中生於宿肉也

緩甚為多汗 緩為陽也，肺得熱氣，熱開腠理，故為多汗 微緩為痿

漏風頭以下汗出不可止 肺脈行於兩手，肺得熱，熱，故手痿緩，又肺脈不

上於頭，故肺受熱，開腠

自頭以下漏風汗不止也 大甚為脛腫 肺氣甚，大以肺大甚也，肺脈手

太陰与足太陰相通，足太陰行脛

故肺氣熱盛上實下虛，故為脛腫之 微大為肺痹引胸

背起惡日光 肺氣盛〻，又得秋時寒氣，故發為痹痛，故引

故肺氣剝盛上實下虛故爲脛腫也甚大甚肺痹汗氣

胸起惡日 肺氣衰亦又得秋時寒氣故發爲痹痛或引胸背引脅痛以是陰病故引胸脅起不用見日

光也惡寫出文也 小甚爲泄 肺之氣血小甚即是氣寒即是胃氣甚不消水穀故泄利矣

微小爲消癉 腸肺之氣血微小也虛寒傷肺又爲熱病消肌肉也 滑甚

爲息賁上氣 滑甚陽氣盛也陽盛擊陰爲積在右脅近傍猶如覆盃令人上氣喘息故

曰息賁也賁膈之音奔也 微滑爲上下出血 陽氣微盛則小澀胳之脈之傷則上

衄血陰胳傷則下洩血也 濇甚爲歐血 氣爲陽也血爲陰也濇爲陽也今得濇脈即知血盛

衝故肺府陽胳陽胳傷便歐血也 微濇爲鼠瘻在頸支掖之

閒下不勝其上其應善痠 微濇血微盛也……

脉偏便欹至也 𡵉得汗灸最痱來盛至手之

間下不勝其上其能喜酸 欬清血欬盛也至歳盛者喘肺肺府手陽明脉上至頭爲瘻又喘肺手太陰脉下支挾之間爲瘻其脉下至不勝上實金當逆欬耻木爲味故喜酸也酸木味也

肝脉急甚爲悪言 詳得以脉急者是寒氣乘乘於肝魂神煩亂故悪出語言也

微急爲肥氣在脅下若覆杯 肝脉微急是肝受寒氣積在左脅之下狀若覆杯名曰肥氣

緩甚爲喜歐 緩甚者肝熱氣衝咽故喜歐也

微緩爲水瘕痹也 肝氣微熱肝氣壅塞飲溢爲水或結爲瘕或聚爲痹

大甚爲内癰善歐衂 大甚氣盛熱氣結爲内癰也肝氣上逆故善歐喜衂

微大爲肝痹陰縮欬引小腹 微大少陽微盛擊肝

為內癰，善嘔衄也。肝氣上逆，故善歐善衄。微

大為肝痹，縮，欬引少腹。微大，少陽微盛，擊肝，乃為陰痛。肝痹者也。陰寒，故筋縮；又欬，肝欬，引厥陰，下引少腹痛。小甚為多飲。厥肝小甚，為氣血皆少，故渴而多飲也。微小為消癉。微小，氣血俱少，有寒氣衝肝，氣遂發熱，為癉消肌肉。滑甚為㿗疝。滑甚，少陽氣盛也。少陽氣盛，則肝虛不足，發為㿗疝，丈夫下腹中為瘣，下衝陰痛。微滑為遺溺。陽氣微盛，陰虛不禁，故為遺寒也。濇甚為溢飲。肝脈濇者，肝氣血多寒也。肝血多而寒，不得濇，溢入腸胃皮膚之外，故為溢飲之矣。微濇為瘛攣筋痹。微濇，血少氣多而寒，所厥陰筋寒，故瘛急而攣也。脾脈急甚為瘛

瘲。詠得代脈急甚，多寒為病年。[illegible]

甚痹，痹[illegible]筋寒故，收急而攣也。脾脈急甚[illegible]
瘛瘲得代脈急甚，多寒為病乎，是引牽來去，故曰瘛瘲也。微急為膈中，食
飲入而還出，後沃沫。微急者，微寒也，脾氣微寒，即脾胃中冷，故食入還□，出大
便沃冷沫也。膈中當咽冷，不受食也。緩甚為痿厥。緩甚者，熱□屋熱也，中脾，氣當四支
脾氣熱，不營，故曰四支痿弱厥逆冷也。微緩為風痿，四支不用，心慧然
若無病。微緩，緩解中微熱也，脾中有熱，受風營其四支，令其[illegible]痿弱不用，風不入心，故心慧然明了，安無若病。大
甚為擊仆。脾脈大甚，是脾氣盛盛裏，當是被擊或是侄仆有傷，故發此候。微大為疝
氣，腹裏大膿血在腸胃之外。脾氣微大，即知陰氣內盛為疝，大腹裏膿血
在腸胃。小甚為寒熱。脾脈小甚，氣血皆少。[illegible]

[illegible]多盛為疝大腹裏膿血

在腸胃之外也小甚為寒熱脾脉小正氣血皆少是病諸寒熱病也微小為消

癉微小氣血俱小故多內熱〻〻消肌肉也滑甚為㿗癃滑〻者陽氣盛熱也陰氣

虛弱發為㿗癃〻淋也音隆也微滑為蟲毒蛕蝎腹熱微滑陽氣微盛

有熱也蛕胡反腹中長蟲也蝎胡謁反謂腹中蟲如桑蠹也陽盛有熱腹內生此二蟲為病徒泛腹中濇

甚為腸㿗〻徒廻反脉濇氣少血多而寒故冷氣衝下廣腸脫出名曰腸㿗丈婦人帶下病也

微濇為內㿉多下膿血微濇是血多聚於腹中潰〻而下膿血也腎

脉急甚為骨癲疾評得石脉急甚脉者是為寒氣乘腎陽氣走骨而上〻實

下虛故[illegible]微急者

脈急甚為骨癲疾 氣乘腎陽氣走骨而上〻實
下虛故
骨癲也 微急為沉厥足不收不得前後 微急者腎冷發
沉厥之病足腳沉重逢冬不收
膀胱大腸壅閉大小便亦不通 緩甚為折脊 陽氣盛熱陰氣虛弱
腎實寒氣致令
要脊痛如折 微緩為洞〻者食不化下嗌還出
腎脈從腎而上貫肝膈循喉嚨故腎有熱氣則下
津液不通上衝喉嚨通洞不禁其食入腹還出 大甚為陰
痿 大甚多氣少血大陽氣盛少陰
血少精血少故陰痿不起也 微大為石水起臍以
下至少腹垂〻然上至胃管死不治 大陽氣盛血少
津液不得下通
結而為水在少腹之中垂〻少腹
垂也其水若至胃脘盛極故死也 小甚為洞泄 腎氣不盛
是血氣皆
少也腎之血氣皆少則上下俱 微小為消癉 血氣俱少以好

盛也其水若至胃脘之藏堅故死也 [illegible] 是五氣皆少也腎之五氣皆少則上下俱
答故食入口還出故曰洞泄

微小為消癉五氣俱少故為陰虛陽盛熱為消癉

滑甚為癃㿉滑甚太陽熱盛少陽虛而受寒故為癃㿉也

微滑為骨痿坐不能起起則目無所見微滑太陽微盛熱入骨髓發為骨痿骨弱坐不能起也太陽起自[illegible][illegible]起太陽上衝於目故目無見也

濇甚為大癰濇甚多血少氣不盛故聚為大癰

微濇為不月沉痔微濇者血微盛也血多氣少不通故女月絕不行以痔下也又其氣少血聚陵為廣腸痔也沉內也

黃帝問曰：病之六變者，刺之奈何？問刺六脈各有六變補寫之道

岐伯答曰：諸急者多寒，脈之弦急由於多寒有熱有微卯五藏急合有十種

故曰諸急內餘[illegible]由其當藏受[illegible]

之道也何各曰諸急者多寒有微所五藏急合有十種故曰諸急曰陰諸寒皆致此也緩者多熱由其當藏多熱致脈緩々大者多氣少血由其當藏氣多血少故令脈有洪大小者血氣皆少由此當藏血氣皆少故令脈衰小也滑者陽氣盛微有熱由其當藏陽盛熱微故令脈有滑疾也濇者多血少氣微有寒由其當藏血多氣少微寒故令脈濇是故刺急者深内而久留之寒則氣深來遲故深内而久〻也刺緩者淺内而疾發針以去其熱熱遲急淺行疾故淺内疾發刺大者微寫其氣毋出其血大者氣多故須微寫以其少血故不出血刺滑者疾發針而淺内之以寫其陽氣而去其熱以其氣盛而微熱

毋出其血以其少血故不出血刺滑者疾發鍼

而淺内之以寫其陽氣而去其熱以其氣盛而旋熱故淺内針仍疾發之

刺澀者必中其脈隨其逆順而久留之必先捫

而循之以發針疾按其痏毋令其血出以和

其脈脈澀即多血也以其多血故先須以手捫循然後刺之中其脈血隨其逆順者久而留針以其氣少澀故發針已疾按其痏〻于軌反謂瘡瘢之也

諸小者陰陽形氣俱

不足勿取以針調其甘藥諸脈小者五藏之陰六府之陽及骨肉形并其氣海之氣血者皆悉虛少若引陰補陽是則陰竭引陽補陰即陽盡陰陽既竭形氣又微用針必死宜以甘味之藥調其

脾氣脾胃氣和[illegible]

陽盡陰陽既竭形氣又微用針必死宜以伊尹之藥之調其脾氣脾胃氣和即四藏可生也肝滿腎滿肺滿皆實皆為腫此三藏之滿實皆為癰腫肺之癰喘兩胠滿肺主氣故肺生癰有喘也肺脈上膈近胠故肺癰胠滿也肝癰兩胠滿臥則驚不得小便兩胠謂在側箱兩脇下空處肝府足少陽脈行在脅下故肝癰兩胠滿也足小陽別脈上肝貫心故熱盛為癰因即心驚也肝脈環陰故肝病熱足不得小便有本作小和字誤腎癰胠下至少腹滿腎脈上至十四椎屬於帶脈行兩胠故從兩胠至少腹滿少陰脈屢受病行於兩腳故脛有大小髀胻大跛易偏枯脛大小髀胻大跛左右二腳更病故為易也又為偏枯病也胻髀膝胻股胻了衣寄一蜀恩

胻大小髀胻大跛左右二脚更病故鶴易也又為偏枯病也胻髀膝胻股胻解胻謂胻通脉上下也心脉滿大癇瘛筋攣心脉滿實仍大是則多氣內盛故發小兒癇病以其少血陰氣不足故寒而筋攣也肝脉小急癇瘛筋攣小則陰陽二氣不足急所為寒是為虛寒熱乘為癇及寒為筋攣肝脉鶩暴有所驚駭脉不至若瘖不治自已肝主有驚氣若是因驚魂失症不言或脉不至皆不療自已之也腎脉小急肝脉小急心脉不鼓皆為瘕腎肝二脉小急及心脉不鼓皆內虛寒氣故為瘕也腎脉大急沉肝脉大急沉皆為疝腎肝二脉大為多氣少血急沉皆寒是[illegible]脉當骨[illegible]為不[illegible]揣

爲瘕也。腎脉大急沉，肝脉大急沉，皆爲疝瘕。大爲多氣少血，急沉皆寒，是以爲寒氣內盛，故爲疝病也。心脉搏滑急爲心疝，搏，動也。滑，陽氣盛而微熱，急爲多寒。心氣寒之盛而微熱寒脉，故結爲心疝也。肺脉沉搏爲肺疝，肺脉應虛浮，今更沉，寒多，故爲肺疝也。脾脉外鼓沉爲腸澼，久自已。脾脉向外鼓，外鼓仍沉，沉寒爲利，胃氣强盛，故久自已也。肝脉小緩爲腸澼，易治。肝脉氣血雖少，胃氣强熱，故療易差之也。腎脉小搏沉爲腸澼下血，血溫身熱者死。腎脉氣血俱少，仍冷利下血者，胃氣虛冷，故死。下血溫身熱，皆胃熱敗去也。心肝澼亦下血，二藏同病者可治，其脉小沉濇爲腸澼，心肝二氣共爲腸澼下血，是母子相

也　心脈居方下至二藏心病者下沉其脈熱

者死熱見七日死心肝二氣共為陽浮下至生女子相使故可療也身熱以胃氣散走無

七日當死胃脈沉鼓濇胃外鼓大心脈小堅急皆鬲

偏枯男子發左女子發右不瘖舌轉可治卅日

起其順者瘖三歲起年不滿廿者三歲死胃脈

足陽明陽也胃脈反更沉細鼓動而濇〻寒也其脈向外為鼓其氣傷多如此許得足陽明脈沉鼓而寒向外鼓而氣熱又得心脈血氣俱少堅實而[illegible]益則胃之与心二者同病名膈偏枯男子發於左女子發於右若瘖不能言舌不轉者死若能言舌轉者療之以日能行雖瘖舌轉順者三年得差若年不至卅得病者三年而死也

脈至而

搏血衄身熱者死脈至而動之陽盛衄血身體壓

三年得悉若年不至秋得病者三年而死也　脉至而揣血衄身有熱者死　脉至而動之陽居衄血身體應冬而衄血身熱居爲遲故死也　脉來懸勾浮爲脈皷　夏秋二脉并至以爲脈皷　脉至如喘名曰氣厥氣厥者不知与人言　氣厥不知言也　脉至如數使人暴驚三四日自已　卒驚不療三四日自已也　脉至浮合浮合如數一息十至以上是与經氣予不足微見九十日死　浮合之脉經氣不足微而見九十日即死也　脉至如火薪燃是心精之予奪也草乾死　心脉如勾令如火薪燃是心精奪故至草乾水時死

射而脉至如[illegible]

之予奪也，草乾死。嵩渶火精奪，故至草乾水時被脈紵尅而死。

脉至如散葉，肝氣予虛也，木葉落死。如弦，今散如五穀，變見不定，是為肝木氣之虛損。至木葉落金時被尅而死。有本為藁棘散葉也。脉至

省省容容者，脉寒如鼓也，是腎氣予不足也。

懸去棗華死。腎脉如石，今如省客，寒而鼓動，是為腎之水氣有傷，故至棗華土時被尅而死之也。

脉至如丸泥，胃精予不足也，榆莢落而

死。莢並條反如豆莢寺草下，胃脉耎弱，今反如丸泥乾堅之丸，即是思土並氣之宿損，故至榆莢木時而死之也。

脉至如橫格，是膽氣予不足也，禾熟而死。

膽脉如弦，今如橫格之木，即是木之膽氣之[illegible]

也。脈至如横格，是膽氣予不足也，禾熟而死。
膽脈如弦，令如横格之木，而是木之膽氣有損，故至禾熟秋金時被尅而死也。
脈至如弦縷，是心胞脈至
胞精予不足也，病善言，下霜而死，不言可治。
如鈎，令如弦之縷，縷散而不聚，是爲心胞大府有損，故至霜雪火時被尅而死。不好言者，心氣未盡，故可療也。
脈至如交莢，交莢者，左右傍至也，微見卅日
死。
莢，蓋條及如莢等草實也。脈至如相交，左右傍至，是以轉，故微見卅日死也。
脈至如泉，浮
鼓肌中，太陽氣予不足也，少氣味，韭華死。暴也
膀胱之府脈，令如泉之浮動，而動即膀胱胞氣水之不足，故至韭英，韭英左時秋尅而死。一曰韭英也。
脈至如

不足故至韭夫華之時欲步而死一曰韭夫也[illegible]女

委土之狀按之不得肌氣予不足五色先見黑白

壘發死脾脈伏如雞子[illegible]也中間代絕令按如委土之是狀無胃脾胃無稟之氣故先見黑白之色是脾腎來乘故死也

脈至如懸離懸離者浮揣切之益大十

二輸之予不足也水凝而死亟浮揣切之益大此是懸離之狀懸離脈見於五藏六府十二經輸氣皆不足十二經輸皆廩太陽故至水凍冬時而死氣急也病至水凝而死亟居力反也

脈至如偃刀偃刀者浮之小急按之堅急大五

藏熟宛寒熱獨并於腎也如此其人不得坐立

春而死浮之小急按之堅急大者此是偃刀之狀也浮平

[illegible]

春而死浮之小急，按之堅急大者，此是僵刀之狀也。浮乎取之即小，為氣虛俱少，按之堅實急，寒多氣少

虛即知五藏完敗寒熱之氣，唯并於腎，至春實邪來乘致死。脈至如丸滑不直手

按之不得也，膽氣予不足也，棗葉生而死真當也，脈

如彈丸，按之不可當發指下，此是滑不膽真氣病脈狀也，至於孟夏棗葉時來乘時死。脈至如

華者，令人善恐，不欲坐臥，行立常聽，小腸予不

足也，季秋而死脈之浮散，故如華也。心府小腸虛，故多恐，坐臥不安，心虛耳中如有

物聲，故恒聽。至於季秋為

肺氣來乘，遂致於死也。

肺氣來乘逆致於死也

黄帝内經太素卷第十五

仁安二年八月十二日以同本書寫

以同本移點校合了　丹波賴基

本云　保元元年[illegible]以同本校合移點了　憲基

黃帝内經太素卷第十六

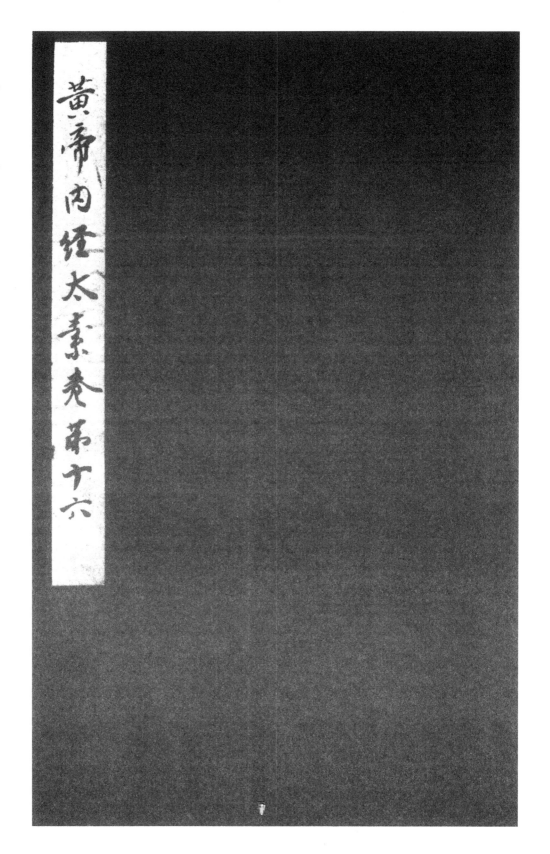

黃帝內經太素卷第十六 診候之三

通直郎守太子文學臣楊上善奉 勅撰注

虛實脉診

雜診

脉論

虛實脉診

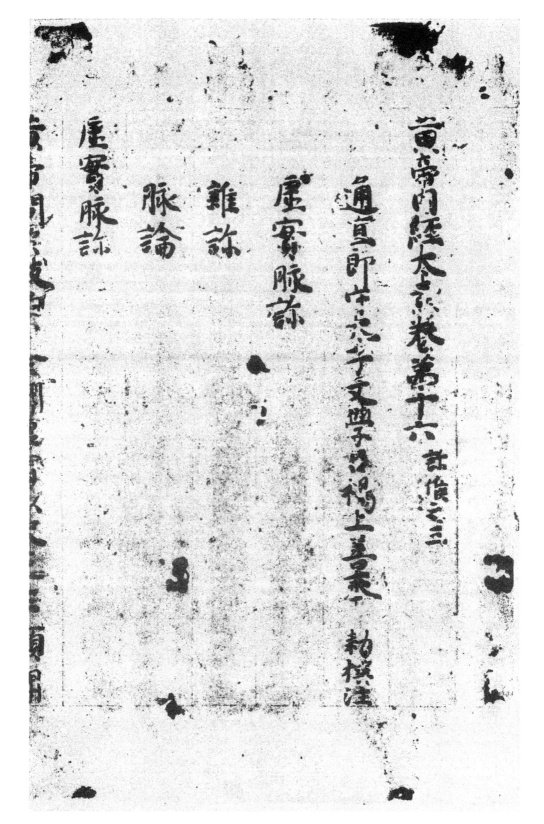

虛實脈論

黃帝問於岐伯曰余聞虛實以決死生願聞其情岐伯曰五實死五虛死人之所病五實具有者不洩當死所病五虛具有者不下食當死也黃帝曰何謂五實五虛岐伯曰脈盛皮熱腹脹前後不通悶瞀此謂五實人之脈一脈也盛一實也皮膚溢〻也陽盛二實也心煩腹滿三實也大小便不通四實也悶瞀不醒五實也悶音悶瞀者大很之佂目也脈細皮寒氣少洩注利前後飲食不入此謂五虛之定脈曰脈細一虛也皮膚寒冷爲虛二虛也吸復少氣三虛也大小便利四虛也飲食不下五虛也黃帝曰其時有

[illegible]者何也岐伯曰[illegible]

三虛也大小便利四虛也飲食不下五虛也黃帝曰其時有
生者何也岐伯曰漿粥入胃洩注止則虛者活漿起
穀液泄瀉止利是有五虛 粥得入胃所虛者可生也身汗得後利則實者活此其
候也服藥發汗或利得 適則實者可活也黃帝問岐伯曰願聞虛實
之要虛實是死生 本故為要也岐伯對曰氣實形實氣虛
形虛此其常也反此者病氣謂衛氣 也形骨也穀盛氣
盛穀虛氣虛此其常也反此者病食多入胃曰穀 盛之胃氣多
曰氣 盛也脉實血實脉虛血虛此其常也反此者病脉 謂
人迎寸口脉也黃帝曰何如而反岐伯曰氣盛身寒此

盛也脉實血實脉虛血虛此其常也反此者病謂

人迎寸口脉也血謂經絡血也黄帝曰何如而反岐伯曰氣虛身熱此

謂反也衛氣虛者身冷今氣虛其身更熱故為反也穀入氣少此謂反也穀

不入氣多此謂反也食多入胃者少氣還多食不入胃者少氣還少此為順也食少入胃氣定少食不

不入胃氣反多此為順也脉盛血少此謂反也脉少血多此

謂反也此為順也寸口人迎脉盛經絡血盛寸口人迎脉少經絡血少以此為順也寸口人迎脉盛而血反少寸口人迎脉少而

經絡血多此為逆也氣盛身寒者病得之傷寒氣虛身

熱者得之傷暑衛氣盛者其身當熱今反身寒此以傷寒所致也衛氣虛者其身當冷今反

熱者此以傷[illegible]

[illegible]得之傷寒所致也衛氣血者熱寒當冷今反熱者此以傷熱所致也穀多而氣少者得之有所脱血濕居下也多食富噎胃氣多也而反少者此為脱卑屋苦安臥處濕濕傷脾氣故少氣也穀入少氣多者邪在胃及與肺也食少當胃氣少也而反多者因胃及肺受於邪氣以為牢叉故氣多也脉少血多者飲中熱也寸口人迎脉小經絡之血當少今反多者是傷熱飲故經絡血盛也脉大血少者脉有風氣水漿不入此之謂也寸口人迎脉大經脉之血應多今反少者因脉有邪氣漿水之漿不得入脉故血少也夫實者氣入也夫虛者氣出也以下方刺之法邪氣入中為實也正氣出外為也實者熱也也虛者寒也此言行於補寫病

[illegible]入中為實也正氣

出沈為虛也地實者熱也地虛者寒也地者行於補寫病之處者也以手捫循其

地熱者所病即實可行寫也其地寒者所病即虛可行補也入實者左手開針空左手

以針刺入於實行其寫已可除出針以左手開其針空令氣得出以為寫也入虛者左手閉也右手刺

入於虛行其補已可疾出針用左手閉其針空使氣不出以為補也黃帝問曰何謂虛實

岐伯答曰邪氣盛則實精氣奪則虛風寒暑濕寒[illegible]

盛[illegible]實五藏精氣奪[illegible]為虛也何謂重實曰所謂重實者言大

熱病氣熱脈滿是謂重實則傷寒熱病大熱曰實經絡盛滿故曰重實

也問曰經絡俱實何如[illegible]

熱病氣熱脈滿是謂重實經絡盛滿故曰重實也

問曰：經絡俱實何如？何以治之？答曰：經絡皆實，是絡急而尺緩也，皆當俱治之，故曰滑則順，濇則逆。脈寸口陽也，尺脈陰也，脈寒多也，尺絡熱多也。寸口是陽，令反急實，尺地是陰，今反不熱，是爲經脈皆實，可俱寫之。經絡雖實，脈滑氣盛爲順爲已，脈濇氣少爲逆難已也。夫虛實者，皆從其物類終始，五藏骨肉滑利，可以長久。萬物之類，虛實以始，皆滑利和調，物得久生也。逆以五藏六府筋脈骨肉柔弱滑利，可以長生，故曰柔弱者生之徒者也。

問曰：寒氣暴上，脈滿實何如？答曰：實而滑則生，實而逆則死。雖實柔滑可生也，實

滑者也問曰寒氣暴上脈滿而實何如答曰實

如滑則生實如逆則死矣雖實柔滑可生也實而寒澁滿死之徒也

問曰其形盡滿何如答曰舉形盡滿者脈急

大堅尺滿而不應也如是者順則生逆則死舉身滿悶曰形盡滿也寸口之脈寒氣盛堅然尺脈不應其滿悶熱手足溫者順療之易已故生手足寒者逆故死

也問曰何謂順則生逆則死答曰所謂順者手

足溫也所謂逆者手足寒也寒氣滿身手足冷者陽氣盡故死手足溫者陽氣在四體漸來通陽氣氣欲生

問曰乳子而病熱脈懸小

者何如答曰足溫則生寒則死乳子病熱脈懸謂

道陰陽死生問曰乳子病熱脈懸小
者何如答曰足溫則生寒則死乳子病熱脈懸滑滑而反懸小者是
溫氣下故生足寒氣不下逆者而致死也問曰乳子中風病熱者喘
鳴肩息者何如答曰喘鳴肩息者脈實
大也緩則生急則死乳子中風病熱氣多血少得脈緩熱宣泄故生得急
為寒不故死也問曰何謂虛實答曰脈氣虛尺虛是謂
重虛也寸口脈虛尺地反脈不虛故曰重虛也問曰何以知之答曰所謂氣
虛者言無常也尺虛者行步恇然脈虛者不象
陰以恇去方反怯也謂行步虛怯然也重虛者何以知其根

虛者言無常也尺虛者行步恇然脈虛者不象
陰也。恇然方支怯也。謂行步虛怯然也。重虛者何以知其很也。體中氣虛不足，是令人君言無之，詳得尺脈虛者陰氣
不足。膝脛不病，故行步不正也。詳得寸口之脈虛 問曰如
則手太陰，陰脈虛，陰氣不足，故不象也。
此者何如？答曰：滑則生，濇則死。寸口滑，不得太陰氣，脈而得澀滑者生寒
滑者生也 問曰：腸辟便血何如？答曰：身熱則死，寒則生。
血虛陽乘，故死。血來甚虛 問曰：腸辟下白沫何如？答曰：脈
十二節偏寒，所以得生也
沉則生，脈浮則死。脈沉陰氣偏旺，故生；脈浮陰盡陽乘，故死也。 問曰：腸
后 辟下膿血何如？答曰：脈懸絕則死，滑大則生。
脈懸絕，陽氣盡絕也，故 則[illegible]腸辟[illegible]

□下□血何如荅曰脈懸絶則死滑大則生

脈懸絶陽氣盡絶也故死滑大氣盛猶溫也故生也

問曰腸澼之病身不熱何如

荅曰身不熱脈不懸絶滑大皆曰生懸濇皆曰死以藏期之

脈不懸絶陰氣猶在滑大是陽氣盛好故生其脈懸絶濇爲寒是爲陽極以其藏之尅日傳爲死期也

問曰癲疾何如荅曰脈揣大滑久自已脈小堅急死不治

大者氣多血少青者氣盛微熱以其氣盛微熱故久自已堅脈小氣血俱少堅急爲寒是則陽虛陰乘故死之

問曰癲疾之脈虛實何如荅曰虛則可治實則死

癲疾陽虛病也故陽脈盛而實者不離於死陽衰陰盛故

問曰消癉虛實何如荅曰脈實大病久可

何如荅曰虗則可治實則死盛而實者不離於死陽陰和故可療也問曰消癉虗實何如荅曰脉實大病久可治脉懸小堅病久不可治死脉實又氣多血少病雖久可療其脉懸絶血氣俱少又脉堅病久不可療當死問曰虗實何如荅曰氣虗者肺虗也氣逆足寒非其時則生當其時則死氣虗者肺氣虗也脉虗故足寒為氣逆也秋時肺主肺氣虗者死餘時肺氣虗不死如肝氣虗肝氣逆者足逆冷當春時肝氣王時虗者為死非其時皆然餘藏以為例也餘藏皆如是也問曰脉實滿手足寒頭熱何如荅曰春秋則生冬夏則死下則陽虗陰盛故手足寒也上則陰虗陽

問寒[illegible]之是[illegible]何如[illegible]春[illegible]則[illegible]

厥則死。下則陽虛陰盛，故手足冷也；上則陰虛陽盛，故頭熱也。春之時陽氣未大，秋時陰氣未盛，各處其和，故病者遇之得生。夏日陽盛陰格，則頭熱加病也；冬時陰盛陽閉，手足冷者益甚也，故病遇此時即死也。

雜診

黃帝問岐伯曰：診法常以平旦，陰氣未動，陽氣未散，診法在旦，凡有五義，須旦：以診脈，脈氣所至手太陰，十二經脈所有善惡之氣皆集寸口，故曰未動；未入諸陽脈中，故曰未散，此為一也。飲食未進，飲食之氣所行善惡難知，故曰未進，此為二也。經脈未盛，未進飲食，故十二經氣未盛，此為三也。絡脈調均，以經未盛，大脈未盛，故絡脈調均，氣血未亂，故血[illegible]下。衛氣營血相[illegible]

二也絡脈者盛氣來盛此為三也脈詞七盛太陰
不來盛故絡脈調氣血來亂故逼可訴衛氣營血相參
分此為四之也以行五十道故為
亂令並來行即氣血來亂此為五也平旦未行脈
五義故取平旦察色診脈易知善惡之也有過之脈所七也
脈動靜營衛將諸脈善惡行手太陰過寸口時以手太陰按其脈動靜即知其善惡之也而視精
明察五色視其面部及明堂藏府分別精明以察惡五色之別觀五藏有餘不足
是五府强弱形之盛衰五府謂頭背腰膝髓五府者也以此切脈察色
以知五藏氣之虛實五府氣又以之强弱及身形盛衰之也上以此參伍決死生之分此
平旦切脈察色知藏府形氣參依意量以決人之死生之分之也夫脈者血之府上下切脈也數
入於胃化而為血行於經脈以長則氣治短則氣病

候區量以決人之死生之分之也夫脈者血之府脈也數

入於胃化而為血行於經脈以奉生身故經脈以為血之府也長則氣治短則氣病

寸口之中滿九分者為長八分七分為短也數則為煩心熱疾曰數大則

病進浩盛曰大上盛則氣高人迎脈不得臥下盛則氣脹寸口脈大滿

血氣脈也代則氣衰久而一至為代滑則氣少脈滑者故氣少濇則心痛脈澀動難

甚濇也渾渾革至如涌泉病進如涌泉上衝人手也而色弊綿綿

綿綿其去如弦絕者死弊弊綿綿未詳脈來卒去比之弦斷此為死以有本絕為死也

夫精明五色者氣之華也吹察色者也五行之氣變見精華之色各見於面及

明堂部內明赤欲如帛裹朱不欲如赭

夫精明五色者氣之華也 精華之色各見於面叉
明堂部內明堂鼻之也 赤欲如以帛裹朱不欲如赭也白欲
如白璧之澤不欲如堊也一曰白欲如鵝羽不欲
如鹽黃欲如羅裹雄黃不欲如黃土也黑欲
如重漆色不欲如炭也一曰如地青青欲如青璧
之澤不欲如藍青也 赭赤土也堊白土阿洛反 五色精微象見
矣其壽不久 精明五色微閑象見者名曰色夭壽命不久之也 夫精明者所
以視萬物別白黑審短長以長為短以白為
黑是精則衰矣 萬物精明則黑白辯矣若不[illegible]

黑是精則義矣萬物精明則黑白辯矣若不精明則黑白不分是反施也五藏

者中之府也中盛滿氣傷恐音聲如從室

中言是中氣之濕也以聽聲者也六府於水穀以為外府五藏於精神故為中府五藏之氣有餘盛滿脾胃傷者乃是中氣得濕上衝胷嗌故使聲重如室中言也言而微終

日乃復言者此奪氣也言聲微小又不用言者當是有所奪氣之故然也衣被

不斂言語善惡不避親踈者此神明之亂也以其陽明之氣變亂為病以氣擾其身不知所為其言不識善惡以其五神失守故也倉廩所藏是門

□也脾胃之氣失守則倉廩不藏以其咽口

一知所為，其言不識善惡，以其五神失守故也。倉廩不藏是門
户不要也。脾胃之氣失守，則倉廩不禁，以其咽口門户不自要約，遂食然身不便之物也、
泉不止於膀胱不藏也。水泉，小便也。人之小便不能自禁於以從胞不能藏也，
故遺尿不止也。得守者生，失守者死。如前之病，神明不亂，得守者生；其神明亂，失守
者死。夫五藏者，身之強也。五藏〻神〻為身主，故是身之強也。頭者精
明之府也，頭傾視深，精將奪矣。頭為一身之天，〻有日月。
人之頭有二目，五藏之精皆成於目，故人之頭為精明府。所以精明將奪，力極頭傾視深，力意視也，遂節今之。
背者胸之府，背曲肩隨，府將壞矣。心肺二輸。
在上當背大陽，故背為胸府。要者腎之[illegible]

背者胸中之府背曲府將壞矣 二 背上當背大陽故背為胸府曲肩隨而氣胸膈將壞也 腰者腎之府轉搖不能腎將憊矣 腎在腰脊之中故腰不隨轉將憊矣憊病也 膝者筋之府屈伸不能行則僂附筋將憊矣 身之大筋聚結於膝膝之屈伸不能行則曲膝向附皆繇於筋急緩故知筋將病也 髓者骨之府也其能久立行則掉慄骨將憊 髓為骨液髓有則脛疼不能久立行則掉慄戰動即知骨將病矣 得強則生失強則死 得謂前之五府得強者為生失前為死也 岐伯曰反四時者有餘為精不

足為消 上黃帝將問自說其義聞請甚岐伯言以釋之

故爲死也此何以知其有餘者不

足爲消 上黃帝將問自說其義問者欲攻伯之學 得失所以人雖失强交欲此特得有餘者

則五藏精脈爲生八之失強得 不足者則五藏消損爲死 應大過不足爲精

有餘爲消 寸口人迎相過一倍以上爲應大過也大過 得氣不足則五藏精脈氣過有餘則熱

故五藏消 消之也 陰陽不相應病名曰關格 人迎十口 四倍以上

曰陰陽不〻相〻應〻者陽 氣外拒陰氣內關之病也 診血脈者多赤多

熱多青多〻黑爲久痺多赤多黑多

青皆見寒熱也身痛面色微黃齒垢黃

曰二〻痺 血脈者絡脈也痺

寒熱身痛面色微黃齒垢黃

爪甲上黃黃癉血脈者絡脈也。癉音丹，内熱病也。診目痛赤脈

從上下者，太陽病；足太陽經從目内眥上頭，故有赤脈從上下，貫瞳子者，太陽之

絡，令人目痛，當療太陽。從下上者，陽明病；手足陽明之經並從鼻至目内眥，於

赤脈從下上者，陽明之絡，令目有痛，當療陽明之也。從外走内者，少陽病。

手足少陽之經，皆從目外兊走於目兊眥之於目内，故有赤脈從外入目者，少陽之絡，令目痛，當療少陽。診寒

熱，赤脈從上下至瞳子，見一脈一歲死，見

一脈半一歲半死，見二脈二歲死，見二脈半

二歲半死，見三脈三歲死。赤脈從上下者太陽

一脈三一歲半死見二脈二歲死見一脈三

二歲半死見三脈三歲死赤脈從上下者太陽之發也太陽終脈從上下至瞳子三脈一時至者至三年死乃至惟見一脈發一年死者三陽者太陽也太陽氣最大故獨見者至一年死二陽者陽明也至陽明有二脈見其氣不大故二年死一陽者少陽也至少陽有三脈見其陽氣少故得三年死也

診齲齒痛按其陽明之脈來有過者獨熱在左左熱在右〻熱在上〻熱在下〻熱手陽明脈從左右手指上行入下齒中上至於鼻足陽明脈從鼻下行入上齒中下至左右足指手足二陽脈有病經所診過時獨熱者二脈一病獨偏熱也手足陽明獨熱在左病者即左病熱獨熱在右病者即右病熱也得手陽

時偏熱者二脈一有獨痛熱也手足陽明獨熱在左右痛
者即尤有熱獨熱在右有者所右有熱也謂手陽
明脈熱即知下齒熱也足陽明左右俱熱唯手陽
明可知然得足陽明熱所知上齒熱也偏熱在頭
延左為上在足在右為下左右則足之左右可知齒者
上下牙齒使痛或出膿血此皆因熱風氣所致故得熱
為候也據此正經兩有俱診陽明即大陰兩手俱有如
下脈肺偏出於
右理必不熱也　嬰兒病其頭毛皆逆上者必死
腎主於血腎府之英陽脈上頭以榮頭毛　耳間青脈起
嬰兒血衰將死故頭毛逆上也
者瘛痛　耳間青脈足少陽絡脈也嬰兒无病
則脇胎有病則瘛瘛者瘛痛之候也　大便
赤青瓣飧泄脈小者手足寒難已飧泄脈小手
足溫易已也　嬰兒大便赤青瓣異者名曰飧泄飧

大青瓣飧泄脉小者手足寒難已飧泄脉小手

足温易已也嬰兒大便所出青赤瓣異者名曰飧泄飧音孫脉小手足冷者飧泄難已脉小為順手足温陽氣未四末故易已也黃帝問曰何以知懷子之且生也

岐伯曰身有病而無邪脉也以子在身故雖病其病之氣不至於脉故無邪脉也

黃帝問歧伯曰診得心脉而急此為何病病形何如答曰病名心疝少腹當有形曰何以言之曰心為牡藏小腸為之使故曰少腹當有形也

黃帝曰善診得心脉心為陽也急為寒也寒氣在心太陽小腸故小腸有形形病積者也

黃帝曰診得胃脉病形何如

黄帝曰：善。陽小腸，故小復有疝，疝積者也。

黄帝曰：診得胃脉，病形何如？岐伯曰：胃脉實則脹，虛則泄。胃脉要弱為平，今得胃氣實脉，即知胃中脹滿。吾得胃氣虛脉，即知氣洩利。胃虛，故脉虛也。

曰：病成而變何如？人病成經變為他病，未知變作何病之也。

曰：風成為寒熱，風病在中，成經變為諸寒熱病也。

癉成為消中，癉，脾胃熱也。脾胃內熱，日久變為消，消中，消渴飲，內消病也。

厥成為巔疾，陽明熱厥成，經上實下虛，變為巔疾也。

久風為飧泄，春傷於風，夏在腸胃之間，日久變為飧泄之病。

脉風成為癘，脉風入脉不泄，成經變為癘。大之謂大疾，眉落鼻柱等壞之也。

病之變化，不可勝數。夫病變為他疾，有斯五種，吾隨所物變何多端案

舘大疾肩落鼻柱等疾之也方之爲仁不可貽

數疾病變爲他疾有斯五種君隨其物爲何多端可勝數但可以智量度調之取中故醫方千卷

來足以爲當之也黃帝曰有病厥者診右脉沉左脉

不然病主安在岐伯曰冬診之右脉固當

沉緊此應四時厥實厥也左手不得沉緊陽浮遲故曰不然也冬陰也右手亦陰

也沉緊之陰也冬時右手陽沉緊之脉固當順四時也左浮而遲此逆四

時在左當主病診在腎頗在肺當腰痛

左陽也浮肺脉也冬時得左手肺脉虛肺來乘故腎病腰痛頗在於肺此即是左手稱肺脉之也曰何

故腎病腰痛，頭去於肺，此即是左手按腎脈之也。虛[illegible]
以訐之曰：少陰脈貫腎上胃肓絡肺，今
得肺脈，腎為之病，故腎為腰痛。黃帝曰：
善。腎脈足少陰，從腎上膈入肺中，故
冬時左手得肺脈，腎為腰痛也。厥陰有
餘，病陰痹；足厥陰，肝脈也。厥陰脈入毛中，環
陰器，上抵小腹，故脈氣有餘者，起
其陰氣盛，故為陰痹。
者謂陰器中寒而痛。不足，病生熱痹；厥陰脈氣
虛者，小陽
來乘陰器中熱而
痛也，痹痛之也。滑則狐疝風；厥陰脈氣
滑者，陽氣
盛微熱，以其氣盛微熱乘陰，故為狐疝風也。風氣
也。狐夜不得尿，日出方得，人之所病與狐同，故曰狐疝。
一曰狐疝謂三雎[illegible]
[illegible]

也孤夜不得眠曰空方得人之所病与孤同故曰孤疝一曰孤疝謂三膲孤府為疝故曰孤疝也濇則病少腹積厥氣也濇多血少氣微寒以其厥陰多血少氣有寒故少腹中血積厥厥氣也少陰有餘病皮痺隱軫少陰足少陰腎脉也起足涌泉上貫肝入肺中肺主皮毛故少陰少陰氣有餘病於皮痺又病皮中隱軫皮起風疾也不足病腎痺少陰之脉虛受寒濕之氣入腎故為腎痺也滑則病腎風疝少陰氣虛太陽氣乘熱熱故為腎風疝痛也濇則病積溲血氣少微寒為血多為血積藏而溲血大陰有餘則病肉痺寒中足太陰脾脉也主肉故太陰盛以為肉痺寒中也不足病脾痺大陰不足即脾虛受邪故滑則病脾風疝得足太陰脉滑則是

中太陰盛以為肉痺寒中也不足病脾痺足即脾虚受邪故為脾痺也滑則脾風疝得足太陰脈滑則是脾虛陽明氣乘故脾病風疝也濇則病積心腹時脹滿得太陰脈濇即少氣故客之也多血後為血積太陰脈注心中心腹時脹滿也陽明有餘病脈痺身時熱胃足陽明脈已別上至脾入腹裏屬胃散而之脾上通於心故陽明有餘不足心有病也心主於脈是以陽明有餘為脈痺身時之熱者也不足病心痺陽明氣虛不足太陰乘之故為心痺滑則病心風疝陽明氣盛散裂故心病風疝也濇則病積時善驚陽明氣虛陰乘微寒血多為積心氣時上衝心故善驚之也太陰有餘病骨痺身重足太陽膀胱脈也足太陽脈氣

時善驚積〻氣待上衝心故善驚之也太陽有

餘病骨痹身重足太陽膀胱脈也足太陽脈氣有餘盛乘於少〻陰〻主骨今少

陰〻病名曰骨痹〻故溢在骨故身重之也不足病腎痹太陽虛而不足則少陰腎氣從盛

故為腎痹滑則為腎風疝太陽脈滑則陽盛發熱乘腎〻府為風疝之

濇則病積善時癲疾診得太陽脈濇則少氣發寒父血下為血積〻善

積〻氣待上衝頭則為癲疾之也少陽有餘病筋痹脅滿足少陽膽脈也

肝主筋也足少陽盛陰病故為筋痹肝病脅滿也不足病肝痹陽虛陰盛故為

肝痹也滑則病肝風疝得少陽脈滑者則少陽氣盛發熱乘肝故肝病風

疝濇則病積時筋急目痛得少陽脈濇少

也。滑則病肝風疝，風嵗契兼肝，故肝病風疝也。濇則病積時筋急目痛。得少陽脈濇，少陽氣少，微寒多血，為積也。足少陽脈起目兌眥，故脈急急目痛也。

脈論

孟春始至，黃帝燕坐，臨觀八極，始正八風之氣，而問雷公曰：陰陽之類，經脈之道，五中所主，何藏最貴。八極，即八方也。八方之風，即八風也。天為陽也，地為陰也，人為和。陰而無其陽，衰殺无已；陽無其陰，生長不止，〻則傷於陰，〻傷則陰灾起矣；衰殺不已，則傷於陽，〻傷則陽禍生矣。故須聖故元已陽無其陰生長不止則傷於陰陰傷則陰灾起矣衰故不已則傷於陽陽傷則陽禍生矣故須聖人在人在天地間知陰陽氣合於和生也和氣之也道謂先脩身爲德則陰陰陽陽氣氣和和則八節風調八節風調正則八屋風二從是病癘不起衰辟覽集此不知所以熱而起亡也故黃帝問身之經脈貴賤依之調攝脩德於身以正八風之氣漸是廣成所問之道也雷公曰春甲乙青中主肝治七十二日是脈之主時臣以其道最貴雷公以肝主春甲乙萬物之始故五藏脈中謂肝藏脈爲貴黃帝曰卻念上下經陰陽從容子所貴最其下也雷公致齋七日旦復侍坐三陰三陽五藏終始之總此最爲貴肝脈春時爲下故黃帝曰三陽[illegible]

最其下也。雷公致齋七日，旦復侍坐。五藏終始

之怨，此最爲貴。肝脈幸時爲下，故

雷公曰以爲未通，致齋得詔之也。黄帝曰：三陽爲

經。三陽，足太陽也，膀胱脈也。足大陽起二目內眥，上項分

爲四道，下項并正別脈上下六道，以行於背，與身爲經，

凡以是諸陽之主，故得揔名也。二陽爲維。二陽，足陽明脈也，以是二

陽之揔，故得名也。足陽明脈胃者，脈之氣注胳海，從鼻而起，下咽，分爲四道，

并正別脈六道，上下行腹，綱維於身，故曰爲維也。一陽

游部。一陽，足少陽膽脈者也。足少陽脈，以是少陽，故

曰一陽游部。有三部，頭法於天，以爲上部，腹下

法地，以爲下部，胷中法人，以爲中部。此一少陽起目外眥，

絡頭，分爲四道，下缺盆，并正別脈上下，主經營一節，流

氣三部，故曰游部也。此知五藏終始。此三陽脈，起於五藏，終於

五藏，故知此脈者，知五藏

終始。[illegible]

日游部也外知五藏終始五藏故知此脈者知五藏
終始之也三陽為表二陰為裏一陰至絶作明
晦卻具合以改其理三陽太陽也太陽在外故也為表也二陰少陰也少陰
居中故為裏也一陰厥陰也厥陰脈至十二經脈終環
之終寸口人迎太陰故曰至絶如此三陽三陰之脈見於
寸口人迎表裏作日夜之變卻審
委與共相人心會以改身之理之也雷公曰受業未
能明也雷公自申不通之意黃帝曰所謂三陽者太
陽為經三陽脈至手太陰而弦浮而不
沉決以度察以心合之陰陽之論太陽總於
三陽之氣衛氣將來至手太陰寸口中見供太以長

沉決以度察以心合之陰陽之論揔於三陽之氣衛氣將來至手太陰寸口中見徐太以長是太陽手也今至寸口弦浮不沉此為病也如此商量可知之以度數察之以心神所謂二陽者陽明至手太陰弦而沉急不鼓是至以病皆死是奇怪見也此弦緊也陽明之氣揔於二陽也陽明脈至於寸口見時浮太而短是其陽明手也今至寸口弦而沉急不鼓是陰擊陽陽為熱病熱至故為陽明大陽之病皆死也一陽者少陽也至手太陰上連人迎弦急懸不絕此少陽之病也專陰則死陽氣始生故曰少陽少陽脈至寸口乍踈乍數乍長乍短乍長也今見手太陰寸口并及喉側胃脈人迎二處

陽之所也其陰自不脈至寸口正躁疾乍數乍長
乍短乎也今見手太陰寸口并及喉側胃脈人迎二處
之脈並弦急懸㽷不斷絶者為少陽之病也若弦急
實專陰無陽懸而絶者死也三陰者此六經之所主
也三陰太陰也六經謂太陰少陰厥陰之脈手足兩箱合有六經脈也此六經脈總以太陰為主太陰有
二足太陰受穀入胃氣与五藏六府以為資糧手太陰主五藏六府之氣故曰六經之所主也交於太
陰伏鼓不浮上空志心交會也三陰六經之脈皆會於手太陰寸口
也肺氣手太陰脈寸口見時浮濇此為平也今見寸口伏鼓不浮是失其常也腎脈足少陰貫脊屬腎絡
膀胱從腎貫肝上鬲入肺中從肺出絡心肺氣下入腎志上入心神之空也二陰至肺
其氣歸膀胱外連脾胃二陰少陰也少陰

肺心。肺氣下入腎志，上入心神之空也。二陰至肺，其氣歸膀胱，外連脾胃。二陰，少陰也。少陰上入於肺，下合膀胱之府也。外連脾胃者，脾胃為藏府之海，主出津液，以資少陰，少陰在內，外與脾胃藏府相資者也。一陰獨至，經絕氣浮不鼓，句而滑。一陰，厥陰也。厥陰之脈不並餘脈，故為獨也。右寸口之至，經絕雖浮動不鼓，藏也。句實邪來乘也。滑者，氣盛而微熱之也。此六脈者，乍陽乍陰，屬相并，繆通其五藏，而合於陰陽。五藏六府，三陰三陽，氣之盛衰，故見寸口，則乍陰乍陽也。繆，牙也。藏脈別走入府，府脈別走入藏，皆更相屬，互通藏府，合陰陽之也。先至為主，後至為客。陰陽之脈見寸口時，先至為主，後至為客也。假令先得肝

府合陰陽之也　榮至五主從至五宮之脈見寸口時先至為主後至為客也假令荒得肝又脈ゝ為主後有餘脈來乘所為客也　雷公曰臣悉書嘗受傳經脈誦得從容之道以合從容之道以合從容不知次第陰陽不知雌雄（宋本）三陰三陽經脈容從之道悉書以讀之來知陰陽造物次第及雌雄之別也從容審理也雷公自謂得審理之經行之合理身之理也　黃帝曰三陽為父三陽太陽也太陽ゝ脈在背管五藏六府氣輸以生身尊比之於天故為父也　二陽為衛二陽ゝ明也陽明ゝ脈在腹經絡於身故為衛　一陽為紀一陽少陽紀也少陽之脈在身兩側經營百節　三陽為父三陰太陰也太

衝腹經絡於身故爲衝一陰至絶也少陽之
脈在身兩側經營百節
綱紀於身故爲紀者之
三陽爲母三陰太陰也太
陰脈氣内資
藏府以生身尊比
之内地故爲母ゝ也
二陰爲雌二陰少陰也少陰
陽非其長又非其
下在内居中
故爲雌也
一陰獨使一陰厥陰也厥陰之脈
唯一獨行故曰獨使也
是主陰一陰陽明主病不勝一陰耎
而動九竅皆沈[illegible]爲二陽
陽明也一陰厥陰也是陽明
厥陰二脈王者即陽明爲病以陽脈不勝厥
陰以厥陰[illegible]動勝陽故九竅沈塞不利也
三陽一
陰太陽勝一陰不能止内亂五藏外爲
驚駭三陽太陽也一陰厥陰也詳得太陽厥陰

陽太陽脈勝一陰不能止內亂五藏外為
驚駭三陽太陽也一陰厥陰也言得太陽厥陰之脈是為外陽勝然氣內虛厥陰
不能止陽則陽乘於內五藏氣亂外陽復發藏為驚駭之病之二陰一陽病在
肺少陰沉勝肺傷脾故外傷四支二陰少陰
也一陽少陽也少陰氣盛少陽氣微少陰脈氣上乘於肺傷及於脾故使四支不用也二陰
二陽皆交至病在腎罵詈妄行巔疾
為狂陰二陰少陰也二陽陽明也陰陽明俱至交會則陰虛陽勝遂發為狂罵詈馳走
若二實則為巔疾倒仆也二陰一陽病出於腎陽氣客
遊於心脘下空竅堤閉塞不通四

癲疾倒作也。二陰一陽病出於腎，陰氣客
遊於心管下，空竅提閉塞不通，四
支別離。二陰少陰也，一陽少陽也。謂腎少陰
少陽二脈，是爲陰實爲病，故曰出腎
也。足少陽正別之脈上肝貫心，故少陽客於心
管之下，陽實爲病，故心管下空竅皆悉提
障閉塞不通利也。心管，心系也。心府手太陽之脈
絡心循咽抵胃，〻主四支，故不通爲四支之病也。手
足各不用，不相得，
故曰別離之也。一陰一陽代絶，此陰
氣至心，上下无常，出入不知，喉嗌
乾燥，病在土脾。一陰厥陰也，一陽少陽也。
厥陰肝脈也，少陽膽脈也。
少陽之脈〻上肝貫心，謂肝膽二脈受代絶之氣，陰脈藏時來

卑炊病在五月厥陰肝脈也少陽膽脈也

少陽之脈上肝貫心諦得二脈更代上下陰脈盛待崇陽至心從心更代上下無常不可定其陽出陰入故曰出入不如也厥陰上根少陽使胃上貫膈布脅動脾也聽故其病使發氣咳痛在於脾胃同氣也厥陰之氣速五臟胃之也

二陽三陰至陰皆在陰不過陽陽氣不能止陰陰陽並絕浮為血瘕沉為膿胕

二陽陽明也三陰太陰也至陰脾也是陽明胕胕故与太陰皆在陰也其陰不能過入出五陽陽復不能過五陰是為陰陽隔絕陽脈獨浮故結為血瘕陰脈獨沉結以為膿胕狀又蔑壹腐壞之

陰陽皆壯以下至陰

大陰陽明皆盛

[illegible]下入陰陽之[illegible]

當腐壞ゝ[illegible]明皆藏

以下入解爲病陰陽之辭上合胎ゝ下合冥ゝ

論診決死生之期遂次合歲年如前經脉陰陽

論解ゝ通言其生也上合眂ゝ陽之明也語其死也下合冥ゝ陰之闇也如此許診決死生不失其候遂得次舍ゝ合日月歲年之期之也雷公曰請問短期

黃帝不應雷公復問黃帝曰在經論中指在此經論短期中者也雷公曰請問短期請問短期

之論黃帝曰冬三月之病ゝ合五陽

論[illegible]曰冬三月之病〻合土陽

者至春正月脉有死徵皆歸出春

冬陰也時有病有陽氣來桼至正月少陽王時

陰氣將盡故脉有死其徵死冬三月病皆歸去

春〻時出高五

皆故曰出春也

冬三月之病〻在理已盡草

與柳葉皆殺陰陽皆絶期在孟春

理中也冬時陽氣在内冬〻陰氣爲陽所傷已

盡故草柳葉大時〻而死若陰陽〻絶正

月時死

之者也

春三月之病〻曰殺陰陽皆

絶期在乾草

春爲陽也春陽氣未令陽病者足

陽衰故死也若陰陽脉絶不相得者

至五季秋金氣王時

[illegible]三月之病

然其在草乾陽衰故死也若陰陽脈絶不相得者至五季秋金氣王時殺草而死之也夏三月之病ミ至陰不過夏陽也至陰脾也夏陽脾病爲陽所傷故不過[illegible]水脾之數故十日而死若陰陽交繫朝在溓水瘨檢及水静也七月水生時之也秋三月之病三陽俱起不治自已陰陽交合者立ミ不能坐ミ不得起三陽獨至朝在石水三陽太ミ陽ミ明少陽也秋三月病該得三陽之脈同時而起是陽向衰少陰脈病不瘥自已若陰陽交争一上下故立不能去ミ不能起也若三陽之脈各別獨至首陰不脈陰故至十月水凍時死也寒甚水凍[illegible]

陽之脈各別獨至前陰下勝陰故至十月水凍時死也寒甚水凍如石故曰石水也二陰獨至期在盛水也二陰少陰也少陰獨至則陰不勝陽故至春月氷解水盛時死之也黄帝坐明堂召雷公問曰予知醫之道乎誦而頗能別之而未能明之而未能章之以治群僚不足至侯主明實天子所居室也習道有五一誦二別四明五章子能誦之未能解別且可行之上群僚不可之進尊貴曰足与日月光以章經術後世益明上通神農若著至教擬於二皇擬並也雷公所歷並天之道以章經術益明

後世益明上通神農若著至教擬於二皇 樹立也雷公所願立天之道以章經術益明後代上通神農垂教擬於古之伏羲神農二皇大道也擬書為擬者也 黃帝曰善無失此陰陽表裏上下雌雄輸應也 識令丞識 而道上知天文下知地理中知人事可以長久 言其所教令道行之長生久視也 以教衆庶亦不疑殆醫道論篇可傳後世可以為寶 識令至傳寶也 雷公曰請受道諷誦用解黃帝曰子

也雷公曰言受道誦言用解黄帝子

不聞陰陽傳乎曰不知曰夫三陽太陽為

業上下毋常合而病至偏害陰陽三

太陽也諸陽之行從頭至足者上下行不能依次

數合而為病別內傷五藏外害六府元氣不周也

雷公問曰三陽莫當請聞其解莫當言其

力太黄帝曰三陽獨至者是三陽并

〻至〻如風雨上為巔疾下為漏病

外毋期內毋正不正中經紀診毋上下

以書別三陽獨至謂太陽獨至也太陽獨至

外無期内無正不中經紀言無上下以書別三陽獨至謂太陽獨至也太陽獨至即太陽、明少陽并於太陽以太陽為首而至故曰并至也陽氣好昇上走於頭如風雨暴疾上盛下虛上盛故為巔疾下虛為漏病漏病謂膀胱漏洩大少便數不禁守也雷公曰臣治踈愈說意而已黃帝曰三陽者至陽也積并則為驚病起而如風至如礔礰九竅皆塞陽氣傍溢乾嗌喉塞太陰之極以為至陰太陽之極以為至陽也太陽即陽明少陽三陽總名若別用則無病若并聚總用則陽氣盛故為驚也驚狂起速故如風也病作甚重如礔礰也陽氣熱盛無病若并聚怱用則陽氣盛起爲驚也驚狂起速故如風也病作甚重如霹靂也陽氣熱盛傍溢上下則九竅不通壅熱中寒也溢溢也并於陰則上下無常薄爲腸澼陰謂脾胃陽盛并於脾胃則腸胃中氣上下無常〻盛氣往薄腸胃之中蓋爲腸辟〻〻下利膿血是傷寒熱者也此謂二陽直心坐不得起臥者身全二陽之病也二陽〻明也陽明正别之脈屬胃絡脾上通於心故曰直心〻陽明脈胃也脾胃生病四支不用当卧身重即陽明之病也且以知天下可以别陰陽應四時合之五行上雷公請願受樹天度四時陰陽令已爲子實[illegible]

陰陽應四時，合之五行。樹天度四時陰陽，今已為子具言之耳也。黃帝燕坐，召雷公而問之曰：汝受術誦書，善能覽觀雜學，及於比類通合，道理為余言子所長。帝令雷公言己所長。五藏六府，膽胃大腸脾胞膀胱腦髓涕唾，哭泣悲哀，水所從行，此皆人所生，治之過失也。子務明之，不以十全，即不能知，為世所怨。脾胃糟粕入於小腸，小腸盛受，即是脾之胞也。并膽髓，此眾人有為六府，并涕唾涕

□能知虛七产系腸々盛受所是腑
之肥也并胆髓此衆人有為六府并泣唾泣
諸涕液并衆人莫不以此為生也其理生
失者子乃啟明理生之術使病者
十全而不能明亦為天下人所怨也雷公曰臣
請誦脉經上下篇甚衆多別異比
類由未能以十全也安足以明
之臣之所誦誦詠經比類甚衆多療疾病猶未
能病十全十又安能調人未病之病以為聞明
乎
也黄帝曰子試別通五藏之過六府
之所不知鍼石之敗毒藥所宜陽
液滋味具言其狀悉言以對請問

之所不知鍼石之敗毒藥所宜湯
液滋味具言其狀悉言以對請問
不知識至審也過不知三藏之失也五藏六府鍼石毒藥陽液滋味子所不通者可具言具狀當悉為言對子所不知也雷公問曰肝虛腎虛脾
虛皆令人重體煩悗當投毒藥刺灸
砭石陽液或已或不已請聞其解此三陰藏其脈從足上行太陰少陰上至於口厥陰上至頭項所以此三陰脈虛多參居為病故令體重煩悗憂之有差請聞其解也悗音悶也黃帝曰公何年之長而問
之少余真問以自謬也吾問子窈冥

開其解也悅意閔也　黄帝曰公何年之長而問之少也余真問以自謬也吾問子窈冥言上下篇以對何也　子之年長所問須高今問卑少是所怪也余真問子脉之浮沉窈冥之道子以上下篇中三藏虚理以荅余者求爲當之也　夫脾虚浮似肺腎小浮似脾肝急沉散似腎此皆工之所時亂也然瑽從容得也　言四藏之脉浮沉相似難以别知名曰窈冥肺脉浮虚知毛脾之病脉浮虚相似腎脉雜沉血氣少時虚浮似脾肝脉弦急沉散似腎脉沉此皆工人時而不知唯有從容安審得之名曰窈冥也　若夫三藏土木水參居此童子之所知也問之何也　五

有從容安審得之名曰論真也 [illegible]夫三藏土木水參居此童子之所知也問之何也 土脾木肝水腎三氣參居受邪令人體重者此乃初學未之深也 雷公曰於此有人頭痛筋攣骨重怯然少氣噦噫腹滿時驚不嗜臥此何藏之發也 舉此八病問所生處 脉浮而弦切之石堅不知其解問以三藏以知比類 問三藏之脉浮弦石者比類同異也 黄帝曰夫之從容之謂 三藏之脉安審知之故曰從容也 夫年長則求之於府 五十已上曰長如前三藏脉

帝曰從之行容之言如之故曰從容也夫年長則求之於府五十已上曰長如前三藏脈病有年五十已上者療在六府以其年長以氣在於六府之中故求之於府也年少則求之於經男子十六已上女子四十已上血氣在五藏之中故求之藏也今子所言皆夫八風菀熟五藏消鑠傳邪相受八風八邪虛邪風也八邪虛風菀熟次傳入於藏令五藏消也鑠式藥反銷也菀熟言蓄積故為病也夫浮而弦者腎不足也腎脈沉石今反弦浮故腎不足也沉而石者是腎氣內著也腎脈藏石是其平也今沉而復石是腎真藏脈無有胃氣怯然少氣是水道不屬

石者是腎氣內著也今沉而復石是腎真藏脈無有胃氣內著骨髓也怯然少氣是水道不得形氣盡怯少不足也腎氣虛故腎間動氣微弱致使傍胱水道不得通利也腎間動氣乃是身及性命之氣真氣不之動形及氣故曰形氣盡也欬嗽煩悗是腎氣之逆水道不利氣循腎脈上入心肺故欬嗽煩悗是腎氣之逆也一人之氣病在一藏也若言三藏俱行不在法也此為一人之氣病不在腎藏非一也病在腎肺脈所三藏者也雷公曰於此有人四支懈惰喘欬血泄愚人診之以為傷肺切脈

悑怵吻衄汗愚夫言之盡依用七脈
浮大而緊悬不敢治粗工下砭病愈
多出血上身輕此何物也子所能治知亦
衆多與此病失矣蝡湣喘欬洩血而脈當沉洒今反浮大而緊悬人難謂
以爲肺傷欬不敢療也有粗工不量所以直下砭石出血病愈衆多益於大病不當而出血即能
除愈其義何也黄帝曰譬以鴻飛亦神于天夫聖
人治病循法守度援物比類化之冥冥
循上及下何必守經鳥行無章故鴻飛而得依天聖人不守於經適變而
依所當故粗工於經雖有所失於[illegible]

從容一作交容紀天聖人不守於經過變而失所當故粗工於經雖有所失於病過所當鄭亦不足以為恠也今夫脈浮大虛者是脾氣之外絕去胃外歸陽明也夫二火不勝三水是脈亂而無常也以妄脾病其氣不行於胃故脈浮大也脾氣去胃外歸陽明也二火者二陽即陽明也三水者三陰即大陰也令大陰病氣外乘陽明即二火不勝三水也陽明不勝太陰故脈亂无常之也四支解墯此脾精之不行脾之精氣出散故不行也出散不營也故四支解墯也喘欬者是水氣并陽明也大陽三水并於陽明也手陽明血泄者脈急血無所行也

実慄惰也咳者是水氣之門戶也 三水

并於陽明也手陽明胳肺故喘也

血泄者脈急血無所行也

陽明血脈盛急不行故歐血也

若夫以為傷肺者由以狂

也不引比類是知不明也夫傷肺者脾

氣不守胃氣不經精氣不為使真藏

壞決脈傍絕五藏漏泄不衄則歐此二者

不相類譬如天之無形地之無理白與

黑相遠矣是吾失過以子知之故不

告子明引比類從容是以名曰診經是

黒相遠矣是吾失過以子知之故不
告子明引比類從容是以名曰診經是
謂至道經清也不清胃氣濁也是傷肺泄血与脾虛泄血其理不同以為同者是失也謂子知之不告
子昔吾之過也如餘明引以類參審得之是謂診經道也問曰人之居處動
靜勇怯脉亦為之變乎曰凡人之驚
恐恚勞動靜皆以為變言勇怯之人非直動靜有驚恐恚
勞其脉太有喘數也是以夜行則喘〻出於腎夜陰
也腎太陰也夜行志勞陰并故脉喘出腎也淫氣病肺有所墮恐
喘出〻于淫邪之氣之先病於肺又曰墮墜

[illegible]

陰并破脈喘出腎也

喘出於肝 淫邪之氣之先病於肺又曰墮墜恐怖有初若是肺臟邪乘肝之病為喘之也 淫氣客於脾有所驚駭喘出於肺 淫邪之氣先客於脾又曰有所驚駭脈有喘者是脾邪外乘肺之病為喘也 淫氣傷於心度水跌仆喘出於腎與骨 腎主水及与骨也淫邪先傷於心又曰度水跌仆心悸腎氣淺為賊邪乘心故心病為喘也當尒心病曰驚失火外時勇者壯氣助心正氣得行補得除已怯者曰驚失神故曰病而喘之也

當是之時勇者氣行已怯者則着而為病 故曰診病之道觀人勇怯骨肉皮膚能知其情者以為診法

已怯者因驚失神故曰病而喘〃也古〃診病之道觀人勇怯骨肉皮膚能知其情者以為診法診病之道先觀人之五事得其病情者以為診法也故飽甚則汗出於胃汗陰液也人動有所過陽盛及衰所以陰液出也傷飽氣盛及衰故汗出胃也驚而奪精汗出於心驚怖傷神及衰故汗出心也持重遠行汗出於腎持重氣盛傷走及衰故汗出腎者也疾走恐懼汗出於肝疾走恐懼氣盛傷魂及衰故汗出肝也搖體勞苦汗出於脾脾主體肉故搖動形體勞苦氣盛及衰汗出於脾也故春秋冬夏四時陰陽三生病起於過用此為常人於

[illegible]於月者氣盛又衰汗出於脾也故春秋冬
夏四時陰陽生病起過用此爲常人於四時
飲食勞佚不能自節以生諸病斯乃愚人起過之常也食氣入於胃散精
於肝淫氣筋食氣入胃〃之血氣之精散入五藏而獨言肝以肝爲木東方春氣
感物之先故也淫溢氣爲筋者也食入於胃濁氣歸心胃氣分二清者
爲氣濁者爲血心主於血故濁歸於心也淫精於脈〃〃氣畱經心之精甚
宰盈十二六經中也經氣歸於肺〃〃以主氣故二淫脈之氣皆歸於肺也故肺主
氣也肺朝百脈十二經脈奇經八脈十五大路莽胎脈皆集肺脈而手太陰寸口而朝
示輸精於皮毛肺氣行於孫路通輸[illegible]衣一

也。肺朝百脈胳脈皆集肺脈兩手太陰寸口而朝之。輸精於皮毛肺氣行於孫絡通輸精氣重皮毛中也毛脈合精行氣於府毛脈即孫脈也謂孫絡者即精氣和合行於六府皆肺氣也府精神留於四藏六府時於水〻穀〻之氣化爲精神留在四藏之中太肺氣之所行者也氣歸於權衡以平氣口成寸以決死生權衡謂陰陽也以其陰陽之平〻於氣口之脈成九分爲寸候五藏六府之脈以次死生也飲食入於胃游溢精氣上輸於脾〻氣散精上歸於脾肺游溢通〻廣也深八尺曰溢四尺曰溝飲食入胃滂泥遊於肺中比之游溢精氣上輸與脾〻受氣已上輸與市

散精上歸於肺尺白津飲食入胃津液遊於肺中比之游溢精氣上輸与脾ゝ受氣已上歸与肺ゝ有字焉洒与溢同徒胃流氣入脾非散溢也肺

調水道下輸膀胱肺以主氣通津液溜於下行於膀胱為溲也

水精四布水精血氣也肺行血氣布於四藏也五經並行合於

四時五藏陰陽動靜揆度以為常四藏經脈并肺藏經以為五經也五藏經并行於氣以外合四時之氣内應五藏陰陽動靜以應法度也揆應度應法度之也

大陽藏獨至厥喘虛氣逆

是陰不足陽有餘也表裏當俱寫

取下俞太陽足太陽即三陽也藏足少陰二

是陰不足陽有餘也表裏當俱寫取下輸太陽足太陽所三陽也藏足少陰二陰者一府藏腎与膀胱脉獨至時厥而後喘虛而氣逆虛者是陰氣不足厥而喘者陽氣有餘也少陰不足厥不足也太陽有〻餘〻太也故厥爲少陰使其不盛甚爲太陽使其手也所以表裏俱取下輸下謂是足少陰及足太陽下五輸也陽明藏獨至是陽氣重并也當寫陽補陰取下輸陽明足陽明也所二陽也藏足太陰三陰者也此一府藏脾与胃脉獨至寸口陽明爲首重太陰而至寸口者即陽氣重并於陰故寫足陽明補足太陰也皆取下足五輸也少陽獨至是厥氣

少陰獨至是厥氣

太陰也皆取下之五輸也

也高前卒大取下輸少陽陽獨至者一陽之過足少陽即一陽也少陽獨至即是厥逆氣至也少陽与厥逆氣至是少陽盛而爲過其路卒太在足外踝之上三寸高脈付陽穴前以筋骨之間爲下輸也

太陰藏傳者用省真五脈氣少胃氣不平三陰也宜治下輸補陽寫陰太陰足太陰也即三陰也藏謂脾藏也搏聚不營五即用省少也真五藏脈少於胃氣故曰不平故太陰脈即是三陰者也如此即陰盛陽虛所以須補陽寫陰取下五輸之也

一陰

[illegible]

陽虚所以須補陽寫陰脈下五輸之也

一陰獨〻嘯〻少陰之厥也陽并於上四脈爭張陰氣歸於腎宜治經胳寫陽補陰（足少陽從耳後入耳中出走耳前所以陽盛耳鳴故曰一陰獨嘯也腎主於耳腎脈少陰也陽盛耳鳴即知少陰厥逆陽盛於上陰氣歸下宜寫陽補陰經之脈之也）

二陰至厥陰之治也真虚悁心厥氣留薄發為白汗調食和藥治在下輸（二陰少陰也真實也少陰之脈虚厥陰脈實虚者悁心故厥氣停薄於心發為白汗心液也如此可調於食可和於藥可行鍼石於下一輸咸可

者悁心故厥氣停薄於心藏爲白汗心液也如此可調於食可和於藥可行鍼石於下五輸列癢之也悁居玄反色悲之也太陽藏何象三陽而浮太陽三陽也故脉象三陽之脉浮者也少陽藏何象一陽滑而不實滑者陽氣盛微熱不實虛也陽明藏何象象心之大浮也象心脉太而浮也大者多少氣之也太陰藏搏言其伏鼓也太陰之脉聚伏鼓動也二陰搏至腎沉不浮少陰之脉聚至沉於骨過不浮也

黃帝内經太素卷第十六　診候之三

黄帝内經太素卷第十六　診候之三

仁安二年十一月十一日以同本書寫之
移點校合了　丹波頼基

本云

保元元年九月廿四日戌刻許於燈燭之下
重比挍移點了　憲基

黄帝内經太素卷第十六

此五色之死也。滋，青之惡色也。炲音苔，謂乾烟一柳聚。炲煤，黑之惡色也。衃，凝惡之血也。枯骨，白之惡色也。青如翠羽者生。黑如鵶羽者生。赤如鷄冠者生。黄如蟹腹者生。白如豕膏者生。此五色見而生者也。此五者皆病，雖不死者色也。生於心，如以縞裹朱。生於肺，如以縞裹紅。生於肝，如以縞裹紺。生於脾，如以縞裹栝樓。生於腎，如以縞裹紫。此五藏所生之榮也。縞，工道反，白練。此五者紫[illegible]朱當五藏[illegible]當[illegible]

本所以行衰生也五藏所生之常也縞工道及白練此五者皆是无病平人之色也味當五藏白當肺辛赤當心苦青當肝酸黃當脾甘黑當腎鹹此言五味藏色所當也故白當皮赤當脈黃當肉青當筋黑當骨此言五事五色所當也諸脈者皆屬於目諸髓者皆屬於腦諸筋者皆屬於肝諸血者皆屬於心諸氣者皆屬於肺此四支八谿之朝夕也諸脈髓筋血氣壽五屬血氣皆於四支八谿朝夕往來八谿八脈文人非五常之[illegible]一五[illegible]長見[illegible]一[illegible]一

四支八谿之朝夕也皆於四支八谿朝夕往來八谿八脉也故人卧血歸於肝々受血而能視足受血而能步掌受血而能握指受血而能攝人卧之時肝足掌手指四事皆受於血故有所用也卧出而風吹之血凝於膚者為痺凝於脉者為泣凝於足者為厥出不覆身也卧以覆身為風所吹寒風入膚血寒凝聚積膚為痺積脉血泣積之為厥々逆也此五者血行而不得反其故空為厥痺此謂五者為得寒邪入身凝泣不得流入空竅中故聚為足厥之病有三元五々字誤之也

厥痺中故聚爲足厥之病有三无五々當字誤之也

人有大谷十二分小谿三百五十四名少十二關此皆衛氣之所留止邪氣之所客也針之緣而去也小曰谿大曰谷谿谷皆流水處也故十二經脈名爲大谷三百六十五脉名曰小谿腹前後體衍无五十四年逹十二大節名十二關此等谿谷關節皆是氣之行止之處故爲衛氣所留邪氣所客緣此鍼石行之以去諸疾也

目色赤者病在心白在肺青在肝黄在脾黑在腎黄色不可名者病在胃中惡黄之色不可譬喻言之言之故不可名

無不可紀者而在篇中無言之言之故不可名之也

黄帝内經太素卷第十七

證候之一

仁安二年十二月八日以同本書之 丹波賴基之

移點校合了

本云

保元元年閏九月廿六日以家本移點校合了

鋒田藥師殿人本云云

憲基

黃帝内經太素卷第十八九

黄帝内經太素卷第十九 設方

通直郎守太子文學臣楊上善奉 勅撰注

知古今 知要道 知方地 知形志所宜

知祝 知鍼石 知湯藥 知官能

知古今

黄帝問於岐伯曰爲五穀湯液及醪醴奈何 醪汁滓酒

醪宿酒也此並擬以 岐伯對曰必以稻米炊之稻薪稻米者

黄帝問於岐伯曰爲五穀湯液及醪醴奈何澤酒 醪濁酒也此並糵以去病爲之奈何也 岐伯對曰必以稻米炊之稻薪稻米者完稻薪者堅曰此得之天之和高下之宜故能至 稻米得天地和氣之高下得所故完稻薪以伐得時所以堅 完伐取得時故能至堅 欲用故以爲醪醴可以療病者也 黄帝問於岐伯曰上古聖人作湯液醪醴爲而不用何也曰上古聖人作爲湯液醪醴者以爲備耳夫上古作湯液故爲而弗服 伏羲以上名曰上古伏羲以下名曰中古黄帝之時稱曰當今上古之時畢及與四時合氣不爲嗜欲亂神不爲憂患傷性精神不越志意不散營衛行通腠理緻密神清性明邪氣不

中古之世

為嗜欲亂神不為憂患傷性精神不越志意不
散營衛行通腠理緻密神清性明邪氣不中古之世
入雖作湯液醪醴以為備衛不為服用者也
德稍衰也邪氣時至服之萬全上古行於道德遠德既衰下至伏羲
故曰稍衰也帝王德衰不能以神化物使藏竊不起嗜欲情
生腠理開發邪氣時入以其病微故服湯液醪醴稍衰而稍淳
故曰湯液而萬病萬全曰今之世不必已何也不定皆全故曰不必已也曰當今
之世必齊毒藥攻其中鑱石鍼艾治其外形
弊血盡而功不立者何也應前問ゝ意ゝ曰良藥可以養性毒藥以療病黃
帝不能致德邪氣入深百姓疾甚盡齊毒藥以攻其內鑱石鍼
艾以療其外ゝ則形弊內則血氣盡而病不愈其意何也
人之神明有守以營

更以療其外外則形弊内則血氣盡而病不愈其意何也
曰神不使何謂神不使人之神明有守以營於身即爲有使也曰鍼
石者道也精神越志意散故病不可愈也
鍼石道者行鍼石者須有道也有道者神不馳越志不異於意不亂思神清内使形有所容然之湯液醪醴爲全之也
今精壞神去營衛不可復收今精五藏精壞五神又去營衛之氣去而不還故病不愈
何者視欲無窮而憂患不止故精
氣施壞營澁衛除故神去之而病之所以不愈
者也以下釋所以精壞神去營衛不行所由也一則縱耳目於聲色樂而不窮二則拘憂患於悲哀苦
欲不休不足之道也樂將求畢哀已繼之故精氣施壞營

者也　耳目於聲色樂而不窮，二則掐憂患於悲哀苦，殺不伏忍之道也。樂將衰畢，氣已離之，故精氣施壞，營溫衛除，神明去之，所以雖憔不愈也。故無恒易品，不可為醫作匠，醫尉之謂也。

知要道

黃帝曰：余聞九鍼九篇，余親受其調，頗得其意。

夫九鍼者，始於一而終於九，然未得其要道也。九篇謂九鍼章別，亦為篇，非是一部總有九篇也。謂調下同，相轉要道，謂渾一之妙也。

夫九鍼者，小之則無内，九鍼之道，小之有内，則内者為小鍼道，亦小也。故知鍼道小者，小之窮也。大之則無外。鍼道之大，有外者為大鍼道，深不可為下，鍼道之

者小之則無內。道非小也故知鍼道小者小之窮也大之
則無外。針道之大有外者為大針道非大也故知針道大者大之極也深不可為下針道之深更有
下者則鍼道非深故知鍼道深者深之深之高不可為蓋鍼道之高更有高者則鍼道有蓋故
知鍼道高者高之高恍惚無窮流溢無極余知其合於天
道人事四時之變也窮之更妙故不可窮也極之愈巧故無極也天道人事四時之變
既然余知鍼道与之同者也然余願聞雜之毫毛渾束為一可
乎。余知鍼深与道變似万端而願參之同毫釐之細渾之若系脉之一也同毫之細有神使之明者微妙之可得万
事之岐伯曰明乎哉問也非獨鍼焉夫治国亦然
事毫細渾一人道用之針派可以遐年以之黄帝曰余聞鍼

歧伯曰明乎哉問也非獨針道焉夫治国亦然毫細譲一人道用之針液可以延年以之保国可之以延祚以大聖之明孰能知此黄帝曰余聞鍼道非国事也針道去病存己国事即先人後己存身与利人兩異照鍼道非理国之要歧伯曰夫治国者夫唯道焉非道何可小大深淺雜合而為一乎哉理国安人也針道存身也安人之与存身非道不成故道而者渾然為一也兩者通道故引同俱理耳夫積小成大故小大不可異也登淺為深故深淺不可殊也鍼道者即小与淺也理国者即大与深也所以道為一即鍼道理国得其妙也黄帝曰願卒聞之歧伯曰日与月焉水与鏡焉鼓与響焉以下設日月水鏡鼓響六譬欲窮存身[illegible]

此似日月水鏡鼓響也水鏡鼓響

六譬缺窮存身安人微妙之道夫日月之明，不失其影，水鏡之察，

不失其形，鼓響之應，不後其聲，治則動搖應和，

盡得其情鍼藥有道，故陳一而用巧，理國有道，故政同而理殊。是以鍼藥正身即為内也，用之安人即為外也。内譬日月水鏡鼓響者也，外譬光影形聲音響者也。針法存身和性，即道德者也；攝物安人，即仁義者也。故理身理國，動搖應和，盡和群生之情，斯乃至真之道也。不後者，同時者也。黃帝曰：窘乎哉！昭昭之明不可

蔽也，其不可蔽者，不失陰陽也。以陰陽察於内外，故昭然不可蔽者也。

合而察之，切而驗之，見而得之，若清水明鏡，不失

其形也。以内外合而察之，以吞意切而取驗，故得之。五音不

合而察之七而驗之見而得之若清水明鏡不失其形也。以内外合而察之，以其意切而取驗，故得之見而得之見得之明，若水鏡之形不相失之也。五音不彰，五色不明，五藏波蕩。五音五色即外也，五藏即内也，以五藏神性波蕩，故音色不章明之。

若是則外内相襲，若鼓應桴，響之應聲，影之似形也。舉此三譬以曉物情也。襲者因也。動聲与形爲内，近也；桴影及響爲外，遠也。故遠者司外揣内，近者司内揣外。遠者所司在外，以度於内；近者所司在内，以應於外，故曰揣也。揣度也。

是謂陰陽之極，天地之蓋，請藏之靈蘭之室，弗敢使泄。是爲陰内陽外感應之極理，以定天地之蓋，元外之大，故請藏靈蘭室，寶而重之。

口[illegible]也

非其人勿言 蓋元外之大故請藏靈蘭室寶而重之

知方地

黃帝問於岐伯曰醫之治病也一病而治各不同皆愈何也岐伯曰地勢使然 五方土地各異人食其五味病亦異療方又別聖人量病所宜一病而以餘方療之皆得愈者大聖之巧 故東方之域天地之法始生也魚鹽之地濱海傍水其民食魚而嗜鹹皆安其處美其食 天地之法東方為春万物始生之方也人生魚鹽之地故安其處美其食之也 魚者使人熱中鹽者勝血故其民皆黑色踈理 魚性是熱故食之令人熱中鹽水也血者故其

魚者使人熱中，鹽者勝血，故其民皆黑色
踈理。魚性是熱，故食之令人熱中。鹽，水也，血者火也，水以尅火，故勝血而人色黑也。故其
病皆爲癰瘍，其治宜砭石，故砭石者，亦從
東方來。熱中踈理之人多生癰瘍病也。瘍，養良反，瘡也。砭針破癰已成，冷石熨其初起。此言
東方疾異療。西方者，金玉之域，沙石之處也，天地之所
收引也。其民陵居而多風，水土剛强，其民不
衣而疊（[illegible]）薦，其民笮（[illegible]側反）食而脂肥，故邪不能傷
其形體，其病皆生於内，其治宜毒藥，毒藥者，
亦從西方來。笮（[illegible]側反），詐白反。西方金，亦金玉之所出，故爲金玉

其病生於內其治宜毒藥故毒藥者
亦從西方來 毡詐白反西方金玉金玉之所出故為金玉之域也西方為秋故為万物收引之方也不
衣者不以綿帛為衣而以氈薦其身食物浮麤生磨碎不
以充飢食之人多肌肉腠理緻密風寒暑濕外邪不傷而為
飲食男女內邪生病故宜用毒藥攻之 北方者天地所閉藏之域也其
地高陵居風寒冰凍其民樂野處而乳食藏
寒生病其治宜灸焫灸焫者亦從北方來 北方為冬
故為万物閉藏之方也北方其地漸高是陰中之陰故風
寒也所樂之處既於寒寒所養之食非溫故五藏寒而生病宜
以灸焫焫燒也而悅反有
本渫為湖蒀北方無湖也 [illegible] 南方者天地所養長陽氣之
所盛處也其地下水土弱霧露之所聚也

本淶為湖，黄北方無湖也。南方者，天地所養長陽氣之

所盛處也。其地汙下，水土弱，霧露之所聚也。

其民嗜酸而食胕，故其民緻理而色赤，其病

攣痹，其治宜微鍼，故九鍼者亦從南方

來。南方為夏，万物養長，陽盛之方也。陽中之陽，其地漸下。

故水土弱，霧露之所聚也。汙下，濕也。胕，快付反，義當腐。南方

為大熱，色赤，故人多赤色也。以居下

濕，多攣痹病，故宜用九鍼也。中央者，其地平以濕，天地所

生物色者衆。中國為土，故其地平濕。

中土之所生，物色多之。其民食雜而不勞，

故其病多痿厥寒熱，其治宜導引按蹻，故按蹻

亦從 蹻，以治反。人之食雜則寒溫非理，故多得寒熱之

見医心方巻一

故其病多痿厥寒熱其治宜導引按蹻故導引按

亦從中失出 蹻〻搖足人之食雜則寒溫非理故多得寒熱之病不勞則血氣不通故多得痿厥之病故導引按蹻則寒熱咸和血氣流通此非但愈斯二疾萬病皆可用之蹻文九搖文勢乎也 故聖人雜合

以治各得其所宜故治所以異而病皆愈者得病

之情知治之大躰 五方水土生病不同隨療各異聖人所知一病為眾藥所療故以所宜為工得療病之大躰也之

知形志所宜

形樂志苦病生於脈治之以灸刺 形身之貌也志心之意也心以主脈以其心勞邪氣傷脈心之應也

[illegible]

形樂志苦病生於脈治之以灸刺志也，心以主脈，以其心勞，非氣傷脈，心之應也。故以灸刺補寫脈病也。

形苦志樂病生於筋治之以熨引形苦筋勞，邪氣傷筋，肝之應也。筋之病也，熨而急，故以熨引調其筋病也。藥布熨之，別之，使其調也。

形樂志樂病生於肉治之以鍼石形志俱逸，則邪氣客肉，脾之應也。多發癰腫，故以砭鍼及石熨調之也。山海經曰：高氏之山，其上多玉，有石，可以爲砭鍼，堪以破癰腫者也。

形苦志苦病生於咽喝治之以藥形志俱苦，勞氣客邪，傷氣在於咽喝，肺之應也。苦肺勞聲也。有本作湯，故療之湯液丸散藥之也。

形數驚恐筋脈不通病生於不仁治之以按摩醪藥是謂五形驚恐主腎，數多驚懼，邪客筋脈，筋脈不通，腎之應也。病生筋脈皮膚之

生於不仁治之以按摩醪藥是謂五形 多驚懼耶
客薊脈薊脈不通，腎之應也，病生薊厥皮膚之
閑為痹不仁，故以按摩醪醴五形言陳其所宜也 故曰刺陽
明出血氣 手陽明大腸脈之陽明胃脈也二脈上下連注
其氣寂偃故此二脈盛者刺之血氣俱寫 刺
大陽出血惡氣 手大陽小陽脈也足太陽膀胱脈也二脈上
下連注清淺寂多，故二脈盛者刺之寫血耶
客之者寫
去惡氣也 刺少陽出氣惡血 手少陽三唯脈
也二脈上下連注其氣最多故此二脈盛 也足少陽膽脈
者刺之寫氣邪客之者寫去血惡之也 刺太陰出
血氣 手太陰肺脈也足太陰脾脈也此二大陰與二
陽明誰為表裏其氣血俱盛故並寫血氣也 刺厥陰
出血惡氣 手厥陰心包絡脈也足厥陰肝脈也與二少陽以為
表裏二陽氣多血少陰陽相叉故二陰血多氣少是
以二厥陰盛以寫血也 刺少陰出氣惡血 手少陰心脈也

[illegible] 表裏二陽氣多血少。陰陽相反，故二陰血多氣少。是
以二厥陰藏以寫血也。
邪客之者寫去惡氣。刺少陰出氣惡血。手少陰心脈也。之少陰腎脈也與
二大陽以為表裏，二大陽既血多氣少，又陰陽相反，二陰氣多
血少。是以二少陰盛寫於氣也。邪客之者，寫去惡血者也。陽明
多血氣。太陽多血少氣。少陽多氣少血。太陰多血氣。
厥陰多血少氣。少陰少血多氣。此言刺三陰三陽出血出氣差別所以也。足
陽明太陰為表裏。少陽厥陰為表裏。太陽少
陰為表裏。是謂足之陰陽也。手陽明太陰為
表裏。少陽心主為表裏。太陽少陰為表裏。是
謂手之陰陽也。令知手足之 已知病[illegible]

表裏少陰心主為表裏太陽少陽為表裏是

謂手之陰陽也令知手之陰陽所在凡治病必先去其血去其

所苦伺之所欲然後寫有餘補不足凡療病法諸有痛苦由其血者血聚之處先刺去之刺去血已伺候其人情之所欲得其虛實然後行其補寫法之也

知視由之處

黃帝問於歧伯曰余聞古之治病者唯其移精

變氣可視由而已也今世治病毒藥治其內鍼

石治其外或愈或不愈何也上古之時有疾但以祝為去病所由其病即已今代之人者於鍼藥而療病不愈者為

岐伯曰往古人[illegible]

民字未避諱

「世」字未諱

「時」为讳字。治字不讳。

[illegible]

毒病所由，其病即已。今代之人若於鍼藥而療病不愈者，為是病有輕重？為是方術不當之？

岐伯曰：往古民人居禽獸之閒，動作以避寒，陰

上古禽獸多而人少，人在禽獸之間，巢居以避禽獸，故稱有巢氏也。

居以避暑，

以躁勝寒，故動作以避寒；以靜勝熱，故陰居以避熱之。

内無眷慕之累，外無申宦之形，此恬惔之世，邪不能深入也。故毒藥不治其内，鍼石不治其外，故可移精祝由而已也。

既為恬惔之牒，有[illegible]，莫不恬惔自得。恬然自得，内無眷慕之情；惔然至樂，外已申宦之役。申宦不役於軀，故外物不形；眷慕不勞於志，故内欲不累。内外恬惔，然泰倫然，外邪輕入，何所深哉？是以有病以祝為由，移精變氣去之，無

[illegible]

故泰倫從外邪輕入何所深哉是以有病以祝為由移精變氣去之無假於針藥也當今世不然憂患琢其內苦形傷其外眷慕逸於心則憂其內中宦苟其形則傷於外也又失四時之逆順寒暑之宜賊風數至陰虛邪朝夕內至五藏骨髓外傷空竅肌膚故所以小病必甚大病必死故祝由不能已也黄帝善夏則涼風以適情冬則求溫以從欲不顧四時逆順之宜不依冬夏寒暑之適由是賊風數至於腠理虛邪朝夕以傷骸虛邪傷體內入藏而客髓賊風閑腠外客肌以傷竅所以微疾積而成大病也如而致死者之針藥尚不能愈況祝由之輕其可遣也

口咸一百

況視由之經其可遠也

知鍼石

黄帝問岐伯曰夫覆地載萬物悉備莫貴於人人以天地之氣生四時之法成君王衆庶盡欲全形形之所疾莫知其情留淫日深著於骨髓心私慮之余欲以鍼除其疾病爲之奈何天地之間人最爲貴人君衆庶莫不寶身故不知病之脈微留連骨髓故請療之方也岐伯曰夫鹽之鹹者其氣器津泄絃絶者其音嘶敗木陳者其葉落發病深者[illegible]言欲識病微者須知其候鹽之在於器中津

[illegible]

深者其聲啾言欲識病微者須知其候盎之在於器中津泄於外見津而知盎之有饑也聲嘶知琴瑟之絃將絶葉落知陳木之已盡舉此三物衰壞之微以比聲嘶識病深之候也人有此三者是謂

壞府毒藥毋治短鍼毋取此皆絶皮傷肉血氣

争黑人有蔽藏同之壞府者謂是府壞之候也府者中府謂五藏也壞者則穢腐也中府壞者病之深也其病既深故針藥不能取也以其皮肉血氣各不相得故之也黄帝曰余念其病心為之亂惑反

甚其病不可更代百姓聞之為殘賊為之奈何余念微病深留至深衆醫不知深著骨髓余痛其心反甚於病不能去也故曰不可更代百姓聞此積微成大壞府之言莫不以為殘賊之深欲知為

[illegible]

能者乎。故曰不可更代。百姓聞此積微成大，稼穡之言，莫不以爲僞嫌之深，故知爲之奈何也。岐伯曰：夫人生於地，懸命於天，天地合氣，命之曰人。人能應四時者，天地爲之父母。天与之氣，地与之形，二氣合之爲人也。故形從地生，命從天与。是以人應四時，天地以爲父母也。知萬物者，謂之天子。天地所貴者人，人之所歸者聖，唯聖知萬物，故号曰天子也。天有陰陽，人有十二節。此言天子所知，凡有二合。四能天有十二時，分爲陰陽，子午之左爲陽，子午之右爲陰。人之左手足六大節爲陽，右手足六大節爲陰。此爲一合也。天有寒暑，人有虛實。十二辰寒暑之氣，十一月陽氣漸息，陰氣漸消，至四月陽氣在盈，陰氣正虛；至五月陰氣漸息，陽氣漸消，至十月陰氣在盈，陽氣正虛。陰陽消爲寒暑者也，盈虛以爲虛實者也。人不知之消息盈虛，有虛有實爲。能經天地陰陽之化者，天地合氣

陰陽所爲寒暑者也。盈虚以爲虚實者也。人不知之，消息盈虚有虚有實焉

二合之也

能經天地陰陽之化者，不失四時。天地合氣，命之曰人。

故知天地陰陽變化理与四時合符，此一能也。

能知十二節之理者，聖智不能欺。

知人陰陽十二節氣与十二時周備之而動，不可得失，雖有聖智不可加也，此二能也。

能存八動之變者，五勝更立。八動八節之氣也，八節之氣合金木水火土五行之氣，更衰更立，旦氣出出，此三能也。

能達虚實之數者，獨出獨入，呿吟至微，秋毫在目。

能達寒暑之氣，虚實相致者，則壽蔽天地，能獨出死地，獨入長生，其言也呿吟，至真微妙之道，其智也目察秋毫深細之理，此四能也。

黄帝曰：人生有形，不離陰陽。

音去所露寫出氣之

万物負陰抱陽，沖氣以爲和，万物盡然。

音去所露寓出氣之　黃帝曰人生有形不離陰陽

万物負陰抱陽沖氣以為和万物盡然三氣而生故人之形不離陰陽也　天地合氣別為九野分為四時月有小大日有短長萬物並至不可勝量虛實呿吟敢聞其方　從道生一謂之樸也一分為二謂天地也從二生三謂陰陽和氣也從三以生万物分為九野四時日月乃至萬物一一諸物皆為陰陽氣之所至故所至處不可勝量不可量物並有虛虛實實之積精言其道者道也　岐伯曰木得金而伐火得水而滅土得木而達萬物盡然不可勝竭　言陰陽相分五行相剋還復相資如金以剋木火以剋火土以剋水端土剋水得水通易餘四時數並以所剋為資万物皆爾也　故鍼有懸布天下者五黔首共餘食莫知之　故鍼者利人之

爲餘四時然正以所尅爲資，万物皆尔也。故鍼有懸

布天下者五也故鍼壽利人之道元有五利也黔首共餘食莫知之

也。黔黑也，懸瘴反人之首黑，故名黔首也。飲食眼用也，黔首眼用此道也，不能得其意也。一曰治神存生之道知此

五者以爲攝養可得長生也。魂神意魄志以神爲主，故皆名神。欲

爲針者先須理神也。故人無哀悲動中，則魂不傷，肝得無病，秋

無離也。無怵惕思慮，則神不傷，心得无病，冬無離也。無悲憂不解，

則意不傷，脾得無病，春無離也。无喜樂不極，則魄不傷，肺得無病，

夏無離也。無盛怒者，則志不傷，腎得無病，季夏無離也。是以五

過不起於心，則神清性明；五神各安其藏，則壽近遐筭。此則針

布理神之旨也，乃是崆峒廣成子之道也。二曰治養身飲食男女節之以限，風寒暑適之以節，有異

單豹嚴穴之害，即內養身也。實貨意以變大和，塵勞而不逐，有

張毅高門之傷，即外養身也。內外之養周備，則不求生而久生，

無期壽而壽長也。此則針布養身之極也。

豫張敬高門之傷，即外養身也。内外之養周備，則不求生而久生，無期壽而壽長也。此則針布養身之極也。玄元皇帝曰：太上養神，其次養形。斯之謂也。三曰知毒藥為真。藥有三種：上藥養神，中藥養性，下藥療病。此經宗旨養神、養性，唯去怵惕之慮，嗜欲之勞，其生自壽，不必假於針藥者也。有病生中，無外毒藥以為真惡，故須知之。四曰制砭石小大。東方濱海水傍，人食魚多，病癰腫，故制砭石大小，用破癰也。五曰知輸藏血氣之診。輸為三百六十五穴者也。藏謂五藏血氣診，謂經絡諸脉診候之也。五法俱立，各有所先。此五法各有所長，故用之各有所先也。今末世之刺，虛者實之，滿者泄之，此皆衆工所共知之。粗工守形，實者寫之，虛者補之，斯乃

夫虛者實之滿者泄之此皆眾工之所共知 守形

實者寫之虛者補之斷乃眾人所知不以為貴也

若夫法天則地隨應而動者知之者若響隨之者若影

刺虛實之道法天地以應万物若響應聲如影隨形得其妙

道無鬼神獨往獨來

得其機應虛實而行補寫也應天地之動者謂之道也有道之者其鬼不神故與道往來無假於鬼神也

黃帝曰願聞其道

岐伯曰凡刺之真必先治神五藏已定九候已備迺後存鍼

凡得鍼真意者必先自理五神五神既理五藏血氣安定九候已備於心乃可存心針道補寫虛實

眾脈弗見眾凶弗聞外內相得毋以形先

病人眾病脈候不見於内諸病聲候不明於外

可玩往來

審[illegible]人

從病脈候不見於内，諦病聲候不明於外，内外相得爲真，不唯形之善惡爲候也。可執往來，迺施於人。執五骨反動知也，究内外相得之理，動而往來，乃可施人也。人有虚實，五虚勿近，五實勿遠。五謂皮肉脈筋骨也。此五時虚，句近寫之；此五時實，勿遠而不寫。至其當發，間不容晌。至其氣至機發，不容於晌目也。容於晌目，即失機，不得虚實之中。晌音舜也。手動若務，鍼燿而晌。手轉鍼待，專心一務。静意視義，觀適之變。可以静意無勞於衆物也。視其義利，觀其適當，知氣之行變動者也。是謂冥冥，莫知其形。此機微者，乃是窈冥衆妙之道，淺識不知也。見其烏

[illegible]

是言冥々莫知其形 眾妙之道淺識不知也 見其烏

々見其稷々徒見其飛不見其誰 言々稷々鳳皇雄 雌聲也 鳳皇群 雜而飛雌雄相和不見其雜有觀察者別其聲殊辨其形 異哉曰不離聲善用針者妙見針下氣之虛實了然不亂也

伏如橫弩起如發機 如橫弩者比其智達妙術也起 如機者比行之得中之

黃帝曰何如而虛何如而實岐伯曰刺虛者須其

實也刺實者須其虛也 虛為病者補之須實 々為病者寫之須虛也 終

氣以至慎守勿失 得氣補寫終特慎 之勿使過与不及也 深淺在

志 志々記也針下深淺可記之不得有 々失深淺有失更增其病故須記 遠近若一 使之

得中不可過与不久如臨深則手如握虎申毋營

者〻失深淺有失更增其病故須執遠近若一之得中不可過与不及故曰若一也刺如臨深淵手如握虎神毋營於衆物行針專務設二喻以比之一如臨深淵更無營異物必有顛墜之禍亦如握虎不堅定招自傷之害故行針調氣不可不用心也黃帝曰願聞禁數岐伯曰藏有要害不可不察五藏之氣所在須知針之爲害至要故欲察而識之肝生於左肝者爲木在春故氣生左肺藏於右肺者爲金在秋故氣藏右也肝爲少陽〻〻長之始故曰生也肺爲少陰〻〻藏之初故曰藏也心部於表心者爲火在夏〻居於大陽〻最上故爲表腎治於裏腎者爲水在冬居於大陰最下故爲裏也心爲五藏部主故得稱部腎間動氣內理五脾爲之使脾者爲土王四季脾行穀胃爲之

表[illegible]之[illegible]氣也。心為五藏部主，故得稱部。腎間動氣，內理五藏，故曰氣也。脾為之使。脾者為土，王四季。脾行穀氣，以資四藏，故為之使也。胃為之市。胃為之脾府也。胃貯五穀，授氣与脾，以資四藏，故為市也。鬲肓之上，中有父母。心下膈上謂肓。心為陽，父也；肺為陰，母也。肺主於氣，心主於血，共營衛於身，故為父母也。七節之傍，中有志心。脊有三七廿一節，腎在下七之傍。腎神曰志，五藏之靈皆名為神，神之所以任物，得名為心，故志心者，志之神也。順之有福，逆之有咎。人之上項，血氣下順，志心有長生之福；逆之，有入死地之禍也。黃帝曰：願聞九鍼之解，虛實之道。請解九鍼應於九數虛實之道也。岐伯曰：刺虛則實之者，鍼下熱也。刺實虛者，得鍼下熱，則為實和。滿而泄之者，針下寒也。刺熱實者，得針下[illegible]

也此[illegible]曰夫虛則實之者鍼下熱也鍼下熱則為
實和也滿而洩之者針下寒也刺熱實者得針下寒則為虛和也宛
陳則除之者出惡血也宛陳惡血邪勝則虛之者出
針勿按也勿按者欲洩其邪氣之也徐而疾則實者徐出
鍼而疾按也為法徐出針為是只為疾按之即邪氣不洩故為實疾而徐則
虛者疾出鍼而徐按之也補法疾出鍼為是只由徐ゝ不即按之令正氣洩故為
虛也言實與虛者寒溫氣多少也言寒溫二氣有多少為虛實也
若無若有者疾不可知也言病若有若無故難知也察後与先者
[illegible]

知無知者，有病不可知也。無故難知也。寒候上先者

知病先後。知相傳之病先後者。為虛與實者，工守勿失其法。刺虛狹令實，刺實狹使虛，工之守也。若得若失者，離其法。失其正法，故得失難定也。虛實之要，九鍼最妙者，為其各有所宜。要在各有所宜。補瀉之時者，與氣開闔相合也。補瀉開合，氣為時之。九鍼之名各不同形者，鍼官其所之當補瀉。九鍼之形及名別者，以官主病之別，又補瀉殊用也。刺其實須其虛者，留鍼陰氣降至迺去鍼也。刺於熱實，留鍼使針下寒無熱乃出針。刺其虛須其實者，陽氣降至鍼下熱迺去鍼也。刺於寒虛，留針使針

……鍼……　針下寒無熱乃出針……

氣降至鍼下，熱適去鍼也。刺於寒虛，留針使針下熱，無寒乃出鍼也。

降之已至，慎守勿失者，勿變更也。寒溫之氣降至針下，勿令大過

不及，使之變為餘病者也。深淺在志者，知病之內外也。下針淺深得氣，

即知病在藏府者也。近遠如一者，深淺其候等也。深淺得候，即知合中不合。

過與不及。敵如臨深淵者，不敢墮也。慎其失也。手如握虎

者，欲其壯也。專務甚也。神無營於衆物者，静志

觀病人，無左右視也。言志一不亂也。義無邪下者，欲瞻

病人目，制其神，令氣易行之。不自御神為行……冒

藏病人女大右利也不亂也秉女耳下者容

病人自制其神令氣易行也不自御神也義邪下之所謂

三里者下膝三寸也所謂付之者舉膝分易

見也言三里付陽穴之所在也付陽穴在外踝上三寸舉膝分之時其穴易見也又付三里所在者舉膝分其穴易見也巨虛者搖高之齕獨陷者也下廉者

陷者也在三里下三寸之齕外獨陷大虛之中為曰巨虛巨虛之中上廉通陽明脈与大腸合下廉足陽明脈与小腸合高高也謂然外踝上高舉處也搖而取之黄帝問岐伯曰余聞

九鍼上應天地四時陰陽願聞其方令可傳

於鍼上應天地四時陰陽願聞其方令可傳
於後世而以爲常。岐伯曰：夫一天二地三人四時
五音六律七星八風九野，此舉天地陰陽之數。人形亦應之
鍼各有所宜，故曰九鍼。人數應於九數，故曰各別有所宜。人皮應
天，人肉應地，人脉應人，人筋應時，人聲應音，
人陰陽合氣應律，人齒面目應星，人出入氣口
應風，人九竅三百六十五絡應野。言人九分應九數也。故一
鍼皮，二鍼肉，三鍼脉，四針筋，五鍼骨，六鍼調
陰陽，七鍼益精，八鍼除風，九鍼通九竅，除三

鍼皮二鍼肉三鍼脈四鍼筋五鍼骨六鍼調

陰陽七鍼益精八鍼除風九鍼通九竅除三

百六十五節氣此之謂也各有所主也人身既應九數

行鍼亦有九别也調陰陽者應六律也益精者益五藏

精應七星謂北斗七星除風應八風通九竅應三百六十五

節之氣九野者也以

其人身有主合之也

人心意應八風人耶氣應天地心意

耶氣應天地

之中八風也

人面應之七星人髮齒耳目五聲應

五音六律人陰陽脈血氣應地人肝目應之九九

竅三百六十五肝主於目臣天為日月其數當九

故九竅合九野三百六十五數也人一以

觀動靜九數各有九分義故

三人二一人實之九二二

[illegible]三百六十五故九竅合九野三百六十五數也人一以觀動靜九數各有九分義故人之一分法動靜也天二以候五色七星應之以人候跡毋澤也天之二分之義候五色七星分跡皆天之合五音一以候宮商角徵羽五音一分之義以候人之五聲也六律有餘不足應之六律界降以候虛實二地一以候高下有餘地之一分之義以候高下有餘也九野一節輸應之以候關九野一分之義候三百六十五節氣輸穴關之不洩之也三人變一分候齒洩多血少人九變一分之義候齒及洩多血少十分角之變九數各九之此言十分未詳或守誤十分之義角音之五分以候緩急五分之義以六分不足六分以

及洩冬五少十分能之數未詳或守誤十分之數
（肩音之變也）五分以候緩急（五分之義以候緩急之也）六分不足（六分以候不足）
三分寒暑節（三分以候寒暑節也）人九分四時節人寒溫燥
濕（人弟九之分以候四時節寒溫燥濕之也）四時一應之以候相交一
（四時一分以候相交）四方各作解（一時一分以候四方作解此之九數一一各有九分取之作解文）
（少不等者取一者取二三四等章句雖分但指句而已也）黃帝問岐伯曰有病頸
癰者或石治之或以鍼灸治之而皆已其真
安在岐伯曰此同名異等者也（同癰名針灸石等異療之）
夫癰氣之息者宜以鍼開除去之（息者增長）

[illegible]石其異療之

夫癰氣之息者宜以鍼開除去之息者增長也癰氣長息以鍼刺開其穴寫去其氣夫氣盛血聚宜石而寫之皆

所謂同病異治者也氣盛血聚未爲膿者可以石熨寫其盛氣也氣盛膿血聚者可以砭石之鍼破去也

知湯藥

黃帝問岐伯曰治病之始生也極微極精

必先舍於皮膚令良工皆稱曰病成名曰逆

則鍼石不能治良藥不能及也今[illegible]之

[illegible]
則鍼石不能治也良藥不能及也今良工
皆持法守其數親戚弟兄遠近音聲日聞
於耳五色日見於目而病不愈者亦可謂不
蚤乎精謂有而虛不也但有病在皮膚微小精實不無若不療者定成大病故良工稱為病成以其病者
精志眷慕於親戚耳目觀樂於聲色白久病成不可療之由其不破於脈微也岐伯曰病為
本工為標標本不得邪氣不服此之謂也
若本無病則亦無療方故知有病為本然後設工是則
以病為本以工為末也標末也風寒暑濕所生之病
以為本也工之所用針石湯藥以為標也故病与工相

以病為本，以工為末也。標，末也。風寒暑濕所生之病以為本也。工之所用針石湯藥，以為標也。故病与工相絜當者，無大而不愈；若工病不相得者，雖嚴而不遣，故曰不得，邪不服也。

黄帝問曰：其病有不從豪毛生而五藏傷以竭，有病不以風寒暑濕外邪藂於豪毛腠理入而為病，而五藏傷竭，此為揔言。津液虛廓，廓，空也。腎傷竭也。其䰟魄獨，心傷竭也。孤精於内，氣耗於外，雖有五藏之精，而外少吐納之氣，耗少也。肺傷竭之也。形剔不与衣相保，皮膚不仁，不与衣相近，脾傷也。竭，保，近也。此四亟急而動中，是氣巨於内而形施於外，治之奈何？此四條即是五藏傷竭。病生於内，故曰動中。亟，數也。是為五藏大[illegible]

[illegible]即是五
藏傷竭病生於内故曰動中亟數也是為五藏大氣歎歟病生於内病形施外療之奈何也岐
伯曰平治權衡平終也權衡藏府陰陽二脉也病從内起終須調於藏府陰陽二脉使之
知也去宛陳宛陳惡血聚也有惡血聚判去也莝微動中四亟賢間
動氣得知則陰莝微動四竭得生故本標消耶氣脹溫衣繆處以復其形
深異也衣肉不相保附故曰繆處調之既得腎氣動已則衣肉相得故曰復其形也開鬼門五神通之
者也潔靜府潔清靜也心之不濁亂精以時命門所藏之精既多以時而有
服五湯有五疏脩五藏五湯五味湯也藥有五味以合五行相魁相生以為
補寫五氣得有疏
[illegible]

用五氵有五另，循五肖以合五行，相尅相生，以爲補寫五氣，得有疏通，以脩五藏之也。故精自生，形自盛，骨肉相保，巨氣通平。黃帝曰：善哉。腎間動氣，人之生命，故氣之和則精々生々則形盛，形精既盛，則骨肉相親，於是大氣平和，是爲病形雖成，療之有驗。

知官能

黃帝問岐伯曰：余聞九鍼於夫子，衆多矣，不可勝數。余推而論之，以爲一紀，余司誦之，子聽其理，非則語余。請受其道，令可久傳後世無患，得其人乃傳，非其人勿

二、耳其玕三、[illegible]

傳後世無患，得其人乃傳，非其人勿言。言道之傳大，不可輕數。余學之於子雅，尋究潤以理十有二藏，余今司而播之，以示於子。其言有不當，不可余忠，當合理。余嘗傳于所授之人，傳之後代，使久而利物之也。岐伯稽首再拜曰：請聽聖王之道。道在岐伯，授之與帝，帝得之於神，歲是聖王之道者也。黃帝曰：用鍼之理，必知形氣之所在。帝謂岐伯所授鍼理五章句九有卅七章，服之所在，肥瘦氣之所在，居實一也。左右上下。所生於左，肺藏於右，心部於表，腎居其裏，男女左右，陰陽上下，並得知之，二也。陰陽表裏。五藏為陰，居裏；六府為陽，居表，三也。血氣多少。三陰三陽之脈，知其[illegible]行之逆順。營得知之二也。陰陽表裏，為陽居表，三也。血氣多少，三陰三陽之脈，知其血氣之多少，四也。行之逆順，營氣順脈，衛氣逆行，五也。出入之合，血氣有出入合處，六也。誅伐有過，誅伐邪氣寫血，七也。知解結，結謂病脈堅緊者，破而平之，八也。知補虛寫實上下之氣，能知補寫上下之氣，九也。明於四海，審其所在，謂血氣數四海，審知虛實所在，十也。審寒熱淋露，因於露風，生於寒熱，故曰寒熱淋露，十一也。滎輸異處，五行滎輸有異，十二也。審於調氣，審吐納導引，以調氣，十三也。明於經隧，經正經奇經也，隧諸胳也，故曰寫其經隧血胳，傷其經，即其[illegible]，支胳小胳也。

以調氣十三也明於經隧脉也故曰寫其經隧
傷其經即其信也十四也左右支胳盡知其會支胳小胳也皆知少胳所
歸大脈會處十五也寒與熱爭能合而調之陰陽之氣不和者皆能和
之十六也虛與實鄰知決而通之鄰近也虛實二氣不和通之使平
十七也左右不調把而行之明於逆順迺知可
治把持也人身左右脈不調者可持左右寸口人迎誅而行之了知氣之逆順乃可療之十八也
陰陽不奇故知起時奇分也陰陽之脈相并渾而不分假之知
其病起之時十九也審於本末察其寒熱得邪所
在萬刺不殆知官九鍼刺道畢足妙道

時十九也審本末察其寒熱得邪所

在萬刺不殆知官九鍼刺道畢矣妙道標本

則知寒熱二邪所在故無危殆是爲官主九針之道畢也明於五輸徐疾所在

明藏府之輸各有五輸輸中補寫徐疾所在並須知之廿一也屈伸出入皆有條

理行藏之時須屈須伸藏之入出條藏並具知之廿二也言陰與陽合於五行

知分陰陽之氣以爲五行廿三也五藏六府亦有所藏五藏藏五神六府藏五

穀廿四也四時八風盡有陰陽各得其位合於明堂

各處色部八風八節之風也四時八節之氣各在陰陽之位並合明堂處於五行五色之部明

堂具也五藏六府使五色之部察知

各虛色當之位並合明堂處於五行五色之部明堂鼻也廿五也五藏六府使五色之部察知五藏六府廿六也察其所痛
左右上下察五色知其痛在五藏六府上下左右廿七也知其寒溫何經
所在知十二經脈所患寒溫各有主廿八也審尺之寒溫滑濇知其
所苦言能審候尺之皮膚廿九也鬲有上下知氣所在穀入於胃清氣上膈
故在膈上濁氣留於胃中在於膈下卅也先得其道希而疏之稍深以
留之故能徐之爲稍之道希疏深留徐動其鍼卅一也大熱在上推
而下之從下上者引而去之視前病者常
先取之視病熱之上下 [illegible]

之一在衝一者者不言之木前而未當

先取之視痏熱之上下寫而去之卅二也大寒在外留而補之入於中

者從合寫之寒在皮膚留鍼使鍼下熱寒入骨髓亦可留鍼使熱寫去寒熱氣卅三也鍼

所不爲火之所宜脈之陷下是灸所宜不可鍼也卅四也上氣不足

推而揚之下氣不足積而從之上氣不足謂膻中氣少可推補令盛揚之也下氣不足謂腎間動氣少者可補氣聚積聚也從順也卅五也陰陽皆虛火

自當之厥而寒甚骨廉陷下寒過於膝下

陵三里陰胳所過得之留上寒入於中推

而行之經陷下則火當之火氣強盛能[illegible]

[illegible]

而行之經陷下火即當之火氣强盛能補二虚卅六結胳

堅緊火之所治胳脈結而堅緊血寒故火能療卅七不知所苦

兩蹻之下男陽女陰良工所禁鍼論畢矣有病

不知所痛可取陰陽二蹻之下二蹻之下男可取陰女可取陽是療不知所痛之病男陽女陰二蹻之脉不可取之卅八也

用鍼之服必有法則上視天光下司八正以辟

奇邪服學習也學用鍼法須上法日月星辰之光下司八節正風之氣以除奇邪卅九也而觀百姓

審於虛實無犯其邪是天之露遇歲之虚救

[illegible]

害於虛實無犯其邪是天之露遇歲之虛者

而弗勝反受其殃故曰必知天忌迺言鍼意

而令百姓不犯虛實二邪歲露之忌可謂得鍼之旨耳天露者歲之八正虛邪風雨也卌也

法於往古驗於來今觀於窈冥通於無窮粗之所不見良工之所貴莫知其形若神髣髴

法於往古聖人所行逆順將來得失之驗亦撿當今是非之狀又觀窈冥微妙之道故得通於無窮之理所行皆當不似粗工以意唯睹其形不見於通有同良中神使獨鑒其所貴髣髴於真卌一也

邪氣之中人也洫泝動形正邪之中人也微

[illegible]

[illegible]

下漸爲其火經下連而起

氣之中人也洒淅動形正邪之中人也微

先見於色不知於身若無若亡若存在形

无形莫知其情洫謂溝渠即腠理也汗謂水之運流即邪氣入

腠理也八正虛邪氣入腠理時振寒起於豪

毛動形者也正邪者因身形飢用力汗出腠理開

逢虛風中人微而難知莫見其精卌二也是故上工之取氣也迺救其

萌可下工守其已成因敗其形邪氣初客未病

之病名曰萌可上工知之其病成形下工知之卌三也是故工之用鍼也知氣

之所在而守其門戶謂知邪氣處氣處於皮膚脉肉筋骨所在守其空穴

門戶療明於調氣補寫所在徐疾之意

之而存□其門戶脉肉筋骨所在，守其空穴門戶，療之卅四也。明於調氣補寫所在，除疾之意

所取之處。明於調氣補寫處所，是處可寫，補是處可寫，不妄爲之卅五也。必

用員切而傳之，其氣迺行，疾入徐出，邪

氣迺出，伸而迎之，搖大其穴，氣出迺疾。

補必用方，外引其皮，令當其門，左引其

樞，右推其膚，微旋而徐推之，必端以正，

安以靜，堅心無解，欲微以留，氣下而疾

出之，推其皮，蓋其外門，眞氣迺存。員謂之

安久青醫必無俞吝崩其首察下而病

出之推其皮蓋其外門真氣迺存貟謂之規法天而動寫氣者也方謂之矩法地而靜補氣者也矩謂針動也寫必用方補必用貟破出素問此是九卷方貟之法神明之中調氣囊不同故尔世六也

用鍼之要無忘養神用針之道下以療病上以養神其養神者長生久視此大聖之大悲世七也以上世七章内經之大惣黃帝受之於岐伯故諭之以閲所聞也

雷公問於黃帝曰鍼論曰得其人迺傳非其人勿言何以知其可傳黃帝曰各得其人任之其能故能明

其事雷公曰願聞官能柰何人受命

任黄帝曰各得其人任之其能故能明

其事。雷公曰：願聞官能奈何。人受命於天，各不同性，性既不同，其所能亦異，量能用人則所爲必當，故因問答以通斷德耳也。黄帝

曰：明目者可使視色。人之所能凡有八種，視面部五行變色，知其善惡，此爲第一明人也。聰耳者可使聽音。聽病人五音，即知其吉凶，此爲第二聰聽人也。

捷疾辭給者可使傳論而語餘人。其知捷疾，其辭敏給，此可爲物說道以悟人，此爲第三智辯人也。安靜手巧而心審諦者可使行四審詳足審也

鍼艾，理血氣而調諸逆順，察陰陽而兼諸

方。神清，性明，故安靜也。動合所宜，明手巧者妙，審

鍼艾理血氣而調諸逆順察陰陽而兼諸方神清性明故安靜也動合所宜明手巧者妙也察機微故審諦也此為第四靜善人也

緩節柔筋而心和調者可使導引行氣身則緩節柔筋心則和性調順此為第五調柔人也調柔之人導引則筋骨易柔行氣則其氣易和也

疾毒言語輕人者可使唾癰祝病心嫉毒言好輕人有此二惡物所畏之故可使之唾祝此為第六口苦人也

爪苦手毒為事善傷者可使案積抑痹爪手苦毒近傷物易傷此為第七苦手人也

各得其能方迺可行其名迺章不得其人其功不成其師無名故曰得其

人也各得其能方迺可行其名迺章不

得其人其功不成其師無名故曰得其

人迺言非其人勿傳此之謂也各用其能以有所當故曰

得人如不得人道不可傳也手毒者可使試按龜置龜

於器之下而按其上五十日而死矣甘手

者復生如故毒手按龜可死甘手按之而龜可生但可適能而用之不可知其所

知然也此爲素八甘手人也

黄帝内經太素卷第十九

黄帝内經太素巻第十九

仁安三年二月廿四日以同本書之　丹波頼基
以同本移點校合了

本云
保元二年二月七日以家本移點比校了　憲基

黄帝内經太素卷第廿一　九鍼之一

黄帝内經太素卷第廿一 九鍼之一

通直郎守太子文學臣楊上善奉　勅撰注

九鍼要道

九鍼要解

諸原所生

九鍼所象

九鍼要道

杏雨书屋影印本作"合"。

九鍼所象

九鍼要道

黄帝問岐伯曰余子萬民養百姓而收其租稅余哀其不給而屬有疾病余欲勿令被毒藥無用砭石欲以微鍼通其經脉調其血氣營其逆順出入之會令可傳於後世

五方療病各不同術令聖人量其所宜雖令行之取十全故次言之子者聖人愛百姓備去子也中有琢傷厲諸疾病不終天年有療之者行於毒藥或以砭石傷膚毒藥

横中可九種微針通心用

杨训误。

杏雨書屋本作俗体「麁」（粗）此本模糊。

杏雨書屋作「𫝹」。此本模糊

杏雨書屋作「𢓨」

天年有療之者行於毒藥或以砭石傷膚毒藥

積中可九種微針通經調氣以傳後代也必明為之法令終而不

滅久而不絕法令即針經法也易用難忘毒藥砭石𦉪術之法雖用易忘

九種鍼乘通易用難忘也為之經紀可為微鍼之經紀也異其篇

章可為微鍼篇目章句別其表裏取其府𦉪為表藏稱為裏為之終始

微鍼之數始之於一終之九也令各有形先立鍼經願聞其情為帝

五法必須各立形狀立帝五形之本須作𢓨經法故請先立鍼經欲聞微鍼之情也岐伯曰臣請推

而次之令有經紀始於一而終於九請言其道

次之蓋推九鍼之[illegible]

而次之令有綱紀始於一而終於九請言其道

次之者推九鍼之應從一之次也小鍼之要易陳而難入也粗守

形工守神〻平神客在門未視其疾惡知其

源刺之微在速遲粗守關工守機〻之動

不離空〻中之機清靜以微其來不可逢

其往不可追知機道者不可掛以髮不知

機者扣之不發知其往來要與之期粗之闇

乎眇哉工獨有之往者為逆來者為順明

知逆順正行無問

乎眇哉工獨有之往者為逆來者為順明

知逆順正行無間迎而奪之惡得無虛追

而濟之惡得無實但九針要道下説中自當具釋也之迎之

隨之以意和之鍼道畢矣逆順察之於陰陽逆奪施之於補寫

凡用鍼者虛則實之滿則洩之宛陳則除

之邪勝則虛之大要曰徐而疾則實疾而

徐則虛言實與虛若有若無察後與先若

亡若存為虛與實若得若失言以意調於補寫得鍼

道可窮[illegible]鍼[illegible]妙[illegible]者上守[illegible]

本西方三屋本作使是也。
本西方三屋本作閉

巳若存若虛與實若得若失 補寫則鍼

道可窮 矣也 虛實之要九鍼最妙補寫之時以

鍼為之 五行別療莫先於鍼所以補寫以針為德也 寫曰必持而內

之放而出之排陽出鍼疾氣得洩 凡寫之道

內鍼必持出鍼必放之搖大其穴排陽邪而出針疾病之氣得洩謂之寫也 按而引鍼

是謂內溫血不得散氣不得出 以手按其所鍼穴之處

氣內脈以心持之不令營血得散外閉其門令斷氣不得洩出謂之補也 補曰隨

之意若妄之 隨氣呼吸而徵動鍼之也 若行若悔如蚊

三 欲去欲依為行悔也鍼在皮膚之中去來

「上」字疑衍而未，原抄者「上」為「作」「止」。
法：但得氣已去，即為补法，行补足已，即疾出针，如絕弦者，言其速也。

之意若忘敬。動鍼之也。若行若按，如蚊虻

止（上）欲去，欲係為行悔也。鍼在皮膚之中，去來如
敬動如蚊，故虻止皮膚，敬覺有之也。

留如還。鍼於皮膚之中，若似留人，如還去，此皆言其候氣者也。去如絃絕。

衛氣已補，即疾出鍼，如絃絕者，言其速也。令左屬右，其氣故止。

先手疾右手出鍼，內氣已補，左手出
鍼，左手閉門，使氣相續，不撤也，屬續也。外門已閉。

中氣乃實。精孔為外門也，補已，不泄，故內氣得實也。必無留血，急

取誅之。補者，留其氣也，不可留於脈血也。瀉者，瀉去之故，曰急誅之也。持

鍼之道，堅者為寶。持鍼有堅，氣散不從鍼。正指直刺。

鍼無左右。刺者，放中其病，若鍼入穴中主大

鍼之道堅者爲實 氣散不從鍼 ……

鍼無左右 刺者欲中其病處，若鍼入左右，不當於病處，其病不愈之 神在秋

豪 秋豪，謂秋時獸新生豪毛，其端纖微也。謂怡神在鍼端調氣，故曰神在秋豪也 屬

意病者 念其病下 審視血脈，刺之無殆 審視十二經脈及諸絡脈處，實刺之無殆也

方刺之時，必在懸陽及與兩衛，神屬勿去，知病存亡 以言方刺之時，先觀氣色者也。懸陽，鼻也。懸於兩衛下也。鼻爲明堂，五藏六府氣色皆見明堂及與眉上兩衛之中。故將鍼者，先觀氣色，知死生之候，然

也。血脈者在輸橫居，視之獨澄，切之獨堅 然脈，胳脈也。有脈橫居輸穴之中，視之一……

杏雨書屋本作"鋭"，是。此本爲"鋭"之訛。

杏雨書屋本作"聊之氣"，但"氣"字模糊

也[illegible]

然脈，胳脈也，有微，橫居輸穴之中，觀亦滿實，切之瘕堅者是[illegible]脈也夫氣之在脈

也，邪氣在上，濁氣在中，清氣在下，故鍼陷

脈則邪氣出，鍼中脈則濁氣出，鍼太深

則邪氣反沉，病益甚，故曰皮肉筋脈，各

有所處，病各有所宜，鍼各有所宜，各不同

形，各以任其所宜，無實々，無虛々，損不

之而益有餘，是謂甚病々益甚，取五脈

[illegible]

之而[illegible]

者死。取[illegible]脉者恇，在下陰者死，棄陽者狂。

鍼害畢矣。恇，怯方及佁也。氣少故怯。鍼害者，言前所禁害也。刺之而氣

不至，無問其數，刺之氣至乃去之，勿復

鍼。鍼各有所宜，各不同形，任其所為。刺之

要，氣至而有効，効之信若風之吹雲，照乎

若見蒼天，刺之道畢矣。鍼入不得其氣，無由補寫，故轉鍼以待氣，

不問其數也。得氣行補寫已，即便出鍼，其病愈。[illegible]故[illegible]意[illegible]吹雲見蒼天也。黄帝曰：願

聞[illegible]

其病愈[illegible]歆陽意飛味雲見蒼天也　黄帝曰願
聞五藏六府所出之處岐伯曰五藏五輸五
五廿五輸六府六輸六六卅六輸經脉十二絡
脉十五凡廿七氣以上下所出為井所溜
為滎所注為輸所行為經所入為合也廿七氣所行皆
有五輸節之交三百六十五會知其要者一言
而終不知其要流散無窮所言節者神氣
之所遊行出入也非皮肉筋骨也覩其

之[illegible]也者其
色察其目知其散復壹其形聽其動靜
知其邪正右主推之左持而御之氣
至而去之凡將用鍼必先診脈視氣之劇
易乃可以治病五藏之氣已絕於內而用
鍼者反實其外是謂重〻竭〻則必其
〻死〻也靜治之者輒反其氣取腋與膺
五藏之氣已絕於外而用鍼者又實其內
[illegible]

五藏之氣已絶於外，而用鍼者反實其內，是謂逆厥。逆厥則必死也，躁，治之者反取四末。（言刺必須誅也。）刺之害，中不去則精洩，不中而去則致氣。精洩則病甚而恇，致氣則生為癰瘍。（不中病，中精，故精洩；不中病之，雖盡去，更致邪氣為癰瘍也。精洩病甚，故恇也。）

九鍼要解

所謂易陳者，易言也。難入者，難著于人也。（言甚易行之難者。）粗守形者，守刺法也。工守神者，

[illegible]守刺規

也行之難者麄守形麄守刺法也上守神者

守人之血氣有餘不足可補寫也守刺規矩之數

故粗守血氣中神明故上也神客者正邪共會也神者正

氣也客者邪氣神者玄之所生神明者也神在身中以為正氣所以身中以神為主

故邪為客也邪來乘于正故為會也在門者邪循正氣之所出

入也門者腠理也循正氣在腠理出入也未覩其病疾者先知正邪

何經之病未覩病之已成所從先知正邪之發得何經脈中也惡知其原

者先知何經之病所取之處也先知何經有病之微

療之處所惡刺之微在數遲者徐疾之意

九

者先知何經之病所取之處也有病之藏療之處所慮知言不知也刺之微在數遲者徐疾之意也刺之微妙之機在於徐疾也數疾也粗守關者守四支而不知血氣正邪之往來也五藏六府出於四支粗守四支藏府之輸不知營衛正之與邪往來虛實故為粗也工守機者知守氣也機弩牙也主射之者守於機也知司補寫者守神氣也機之動不離其空者知氣之虛實用鍼之徐疾也以因於空所以機動由於孔穴知神氣虛實得行徐疾補寫也空中之機清靜以微者鍼已得

氣[illegible]神在孔穴鍼頭循得

寫

瘕補寫也 空中之機清靜以微者鍼已得

氣密意守氣勿失也 神在孔穴鍼頭唯得氣已神清志靜密意

守氣行於補寫不令有失故爲微也 其來不可逢者氣盛不可

補也 氣盛不可補之補之實實也 其往不可追者虛不可

人以寫也 氣往而虛不可寫之寫之虛虛也 不可挂以 [illegible]

髮者言氣易失也 利機挂以絲髮其機即發神氣

知機微邪之氣如機微邪來彌神氣之謂之機也微邪來至神智所知名曰智機不知所失故曰易也

叩之不發者言不知補寫之意血氣已盡

[illegible]也 不知機者謂此機也此機也叩之不發

叩之不發者言不知補寫之意血氣已盡

而不下也不知機者謂此機也此機也叩之不發謂無智之人行於補寫邪氣至而不知有害血氣皆盡而病不愈下愈也知其往來者知氣之

逆順盛虛也要與之期者知氣可取之時

也知虛實可取之時為知往來要期也粗之闇乎者冥冥不知氣

之微密也妙哉工獨有之者盡知鍼意

也往者為逆者言氣之虛而少少者逆來

為順言形氣平者順也明知逆順正行無

問[illegible]往者氣散故少氣逆也

並順言所氣乎者順□可矣逆順正行無

問者知所取之處也往者氣散故少氣逆也來者氣集故氣實順

也明知氣之逆順即行補寫更亦不須問者謂善知處也逆而奪之者

寫也迎而隨之者補也迎而奪之致虚迎而寫之令實故皆不可

所謂虚則實之者氣口虚而當補之也謂寸

口脉虚當補所由之經也滿則泄之者氣口盛而當寫之

也謂寸口脉實當寫所由之經也宛陳則除之者去血脉也

宛陳謂是經及路脉聚惡血也邪勝則虚者言諸經有盛

者皆寫其邪之有害邪在諸余而寫則□

胳脈發惡血也耳脈貝虛者言詠經有[illegible]

者皆寫其邪也有害邪在諸經皆寫去也徐而疾則實

者言徐內而疾出也此言其補疾而徐則虛者言

疾內徐出也此言其寫實與虛若有若無者言實

者有氣也虛者無氣也若有氣實若無氣虛也察後與

先若亡若存者言氣之虛實補寫之先後

也察其氣之已下与尚存也若先實者寫已之令後虛也若先

虛者補而存之使後實也為虛與實若得若失者言補

則[illegible]

之使後實也爲虛與實若得若失者言補

則佖然若有得也瀉則怳然若有失也之

得於神氣故佖然也佖文一作必也
識和也瀉失於邪氣故怳然也

夫氣之在脈也

邪氣在上者言邪氣之中人也高故邪氣在上

也高在頭風熱邪氣多
中人頭也故曰在上也

濁氣在中者言水

穀皆入于胃其精氣上注於肺濁氣留

于腸胃言寒溫不適飲食不節而病于

腸胃故命曰濁氣在中也穀入於胃化
爲二氣清而

精者注於肺以成呼吸行諸經隨其濁者

腸胃故合，曰濁氣在中也。左二氣清而精者上注於肺，以成呼吸，行諸經，隨其濁者留於腸胃之間，因於飲食不調，為病，故曰在中也。清氣在下者，言清濕地之氣中人也，必從足始，故曰邪氣在上，濁氣在中，清氣在下。清寒氣也，寒濕之氣，多從足上，故在下也。鍼陷脉則邪氣出者，取之上。上謂上脉頭及皮膚也。鍼中脉則濁氣出者，取陽明合也。中者，中脉，謂之陽明，足胃脉也。陽明之合者，胃足陽明合三里，至巨虛上廉與大腸合，至巨虛下廉與小腸合也。鍼太深則邪氣反沉者，言淺浮之病，不欲深刺也，深則邪氣

巨虛下虛與小腸合也，盡大謂是耳案交沉

者，言淺深之候，不欲深刺也。深則邪從之入，故曰反沉也。鍼過其分，邪從鍼入，病更益深，故曰反沉也。皮肉筋脈各有所處，言經絡各有所主也。言經在筋肉，絡在皮膚也。

取五脈者死，言病在中，氣不足，但用鍼盡大寫其諸陰之脈也。五藏中虛，用鍼者大寫五藏之脈，陰絶，故死也。

取三脈者，恇，言盡寫三陽之氣，令病人恇然不復也。一時盡寫三陽之脈，陽絶，故恇然不復也。奪陰者死，言取

五里，在肘上，不在尺中，而意是

然不復也 施故怯然不復也 其陰者勇言則
尺之五里五往者也 五里在肘上不在尺中而言尺之五里者寸為陽尺為陰陰
尺動脈動於五里故曰取尺五里也五往者五寫也 奪陽者狂正言 奪陽陽虛
故狂此為替正言 觀其色察其目知其散復 觀其明察五色
察其目之形色則知之聚散可知也復聚也 壹其形聽其動靜者
言工知相五色于目有知調尺寸小大緩急滑
濇以言所病也 相五色於目謂壹其形也相目之形有五色別以知一形也調尺寸之脈
變謂聽其動靜也聽動靜者謂神思脈意也 知其邪正者知論虛邪
與正邪之風 正邪者謂人因飢虛用力汗出腠理開

静者謂神思脉意也知其取正者知諸虚邪與正邪之風（正邪者謂人因飢虚用力汗出腠理開故遇風入者名曰正邪也虚邪者謂八正虚邪氣也）右主推之左持而御之者言持鍼而出入也（右手推鍼出入左手持而御也）氣至而去之者言補寫氣調而去之也（氣若不至久而待之氣若至者依數行補寫去其實虚也）調氣在于終始壹者持心（持心在於終始故為壹也）節之交三百六十五會者脉胳之滲灌諸節者也（數人節所與三百六十五此名神氣遊行出入之處為所非皮肉筋也故胳脉滲灌三百六十五空穴以為節所[illegible]

也處爲所非皮肉筋也故絡脉滲灌三百六十五空穴以
爲節會也所謂五藏之氣已絶於内者脉口氣内
絶不至反取其外之病處與陽經之合有留
鍼以致陽々之氣々至則内重竭則死也矣其死
無氣以動矣故静所謂五藏之氣已絶於外
者脉口氣外絶不至反取四末之輸有留
鍼以致其陰氣陰氣至則陽氣反入々
則逆々則死也陰氣有餘故八十一難五藏氣已絶於内者
謂腎肝之氣々爲陰在内也而醫之用鍼反實心々肺々爲陽

[illegible]之[illegible]其[illegible]中附[illegible]實其俞竅氣已絶於内者，謂腎肝之氣為陰，在内也。而醫之用鍼，反實心心肺肺為陽也。陰氣虛絶，陽氣盛實，是為實實虛虛，故死。心肺為外，心肺之氣已絶，用鍼者實於腎肝，亦為實實虛虛，所以致死之也。所以察其目者，五藏使五色脩明，目為五藏使，徵也。脩，增也。審脩五色增明，所知與病者也。脩明則聲章，章者，言穀與生平異。異色增明，異章明五穀辯章，別於生平。蓋是死病之候也。

諸原所生

五藏有六府，六府有十二原。八十難五藏皆以第別輸為原，各二為十原也。又取手少陰經第三二為十二原。六府皆[illegible]

五藏有六府六府有十二原所輸為原各二為
十原也又取手少陰經第五輸二為十二原六府皆以井
滎輸經四穴之後別立一原六府各二為十二原然則五
藏六府合有廿四原ゝ者齊下腎間動氣人之生命也十二
經之根本也故名為原三膲行原氣經營五藏六府故三
膲者原氣之別使也行氣故五藏第一輸故第三輸名
原六府以第四穴為原夫原氣者三膲之尊號故三膲
行原氣止第四穴輸名為（原也行）五藏六府有十二原並五
藏六府各有十二原也合而言之亦有廿四原文言六府有
十二原者後人
添加二字耳
十二原出於四ゝ關ゝ主治五藏ゝ
有疾當取之十二原十二原者五藏之所以
稟三百六十五節氣味者也
四關四支也此中唯
言五藏有十二原生
病所由不言六府十二原也五藏在內原在於外故云藏

[illegible]也言五藏有十二原生藏所由，不言六府十二原也。五藏在内，原在於外，故云藏有府，府皆從外入，所以五藏皆稟十二原也。以其三百六十五節交會穴中數之氣味皆在此會也。五藏有疾也，應出于十二原，而原各有所出原之脉氣皆出其本主輸。明知其原，覩其應，而知五藏之害矣明知寸口原所出之處，又知内應五藏，則妙達五藏之害也。陽中之少陰，肺也，其原出于大淵，大淵二日夕少陰，故曰陽中少陰也。陽中之大陽，心也，其原出于大陵，大陵二日中大陽，故曰陽中大陽也。陽中之少陽，肝也，其

日出初陽故曰

大陵[illegible]二陽中大陽也陽中之少陽肝也其原出于大衝大衝二日出初陽故曰陽中之少陽也陰中之大陰腎也其原出于大谿大谿二夜半重陰故曰大陰也陰中之至陰脾也其原出于大白大白二土爲四藏陰之至極故曰至陰也膏之原出于鳩尾鳩尾一膈氣在於鳩尾之下故鳩尾爲原也肓之原出于脖胦脖胦一肓謂下肓在齊一寸脖精息交胦於乘文謂胦齊也凡此十二原者主治五藏六府之有疾者也脹取三陽飧泄取三陰脹取六府三陽原也飧取五藏三陰原也之今夫五藏之有疾也譬猶刺[illegible]客邪入身有[illegible]五志藏神

調取三陰取五藏三陰原也之今夫五藏之有疾也，譬猶刺客邪於身其猶刺也，猶汙也五志藏神其猶汙也，猶結也陰陽積聚其猶結也，猶閉也血氣不流其猶閉也。刺雖久，猶可拔也；汙雖久，猶可雪也；結雖久，猶可解也；閉雖久，猶可決也。或言久疾之不可取者，非其說也。夫善用鍼者，其取疾也，猶拔刺也，猶雪汙也，猶解結也，猶決閉也。疾雖久，猶可畢也。言不可者，未得其術也。三陽不通，其猶閉也，不得其術[illegible]

久，猶可畢也。言不可者，未得其術也。陽
不通，其猶閉也。不得其術
者，言上工所療，皆愈也。
刺熱者，如手探湯。刺熱
者，決寫熱氣，不久停鍼，徐引鍼，使
病氣疾出，故如手探湯，言其疾也。刺寒清者，如
人不欲行。刺寒者，久留於鍼，使溫氣集
補，故如人行遲者不行，待氣故也。陰有陽
疾者，取之下陵三里，正往無殆，氣下乃止，不
下復始。諸陽以爲陰，
陽有疾也。疾高而內者，取之陰之陵
泉；疾高而外者，取之陽之陵泉。所病在頭等
爲高，根原在
脚足太陰內者，故取太陰第三輸陰陵泉也。所病在頭
爲高，其原在脚足少陽外，故取足少陽第三輸陽

為高其原在膕是少陽外故取是少陽弟三輸陽陵泉也

九鍼所象

黃帝曰余聞九鍼於夫子眾多博大矣余猶不能寤敢問九鍼焉生何因有名九鍼法於三才

故曰時火岐伯曰九鍼者天地之大數始於一而終於九故曰一以法天二以法地三以法人四以法四時五以法五音六以法六律七以法七星八以法八風九以法九野此言其黃帝曰以鍼

以治四時五以治五音六以治六律七以治七星八以法八風九以法九野此言其博大也黃帝曰以鍼應九之數奈何岐伯曰夫聖人之起天地之數也一而九之故以立九野九而九之九九八十一以起黃鍾數焉以鍼應數黃鍾即起於一也之一者天也天陽也五藏之應天者肺也肺者五藏六府之蓋也皮者肺之合人之陽也故為之治鍼必以大其頭而兌其末令無得深入而陽氣

[illegible]

出二者地也地者土也人之所以應土者肉也

故爲之治鍼必筩其身而員其末令无得傷

肉分傷則氣竭三者人也人之所以成生者

血脈也故爲之治鍼必大其身而員其末

令可以按脈勿陷以致其氣令邪氣獨出

四者時也時者四時八風之客於經絡之中

爲痼病者也故爲之治鍼必筩其身而鋒

其末令可以寫熱出血而痼病竭 以下言九

為瘤病者也故為之治鍼必筩其身而鋒

其末令可以寫熱出血而痼病竭以下言九鍼有法象

也此一名鑱鍼卒先之者令其易入大其頭使不得深也二者員鍼員其末如雞卵也三者鍉鍼員其末

者末如黍粟之兑也四者鋒鍼筩其身如筩之員也鋒其末者鍼末三隅利也五者音也音

者冬夏分分於子午陰與陽別寒與熱

爭兩氣相薄合為癰膿者也故為之治鍼

必令末如劍鋒可以取大膿名曰鈹鍼六者律也

律者調陰陽四時而合十二經脈虛邪客

於經絡而為暴痹者也故為之治鍼必令尖如

律者調陰陽四時而合十二經脈

於經脈而為暴痹者故為之治鍼必令尖

如氂且員且兑中身微大以取暴氣名曰

員利鍼也氂毛也毛形且員且兑中身微大也七者星也星者人之七

竅邪客於經而為痛痹舍於經絡者也

故為之治鍼令尖如蚊虻喙靜以徐往

微以久留正氣因之真邪俱往出鍼而

養者也喙謂纖反口觜也名曰毫鍼也養者養久留也八者風也風者

人之股肱八節也八正之虚風八風傷人

耆老也毫鍼也養者久留也八者風也風者
人之股肱八節也八正之虛風八風傷人
內舍於骨解腰脊節腠之間為深痺者
也故為之治鍼必長其身鋒其末可以
取深邪遠痺名曰長鍼鋒利也九者野也野者人之
節解皮膚之間也淫邪流溢於身如風水
之狀而留不能過於機關大節者也故為之
治鍼令尖如梃其鋒微員以取大氣之不
能過於關節者也名曰大鍼也大節十五大

[illegible]鍼令[illegible]如想吾鍼之[illegible]實[illegible]耶夫氣之不

能過於關節者也（名曰大鍼也大節十五大節也提當爲遊小破竹也）黃帝

曰鍼之長短有法乎岐伯曰一曰鑱鍼者取

法於布鍼去末半寸卒兌之長一寸六分

主熱在頭身也二曰員鍼取法於絮鍼筩

其身而卵其鋒長一寸六分主治分間氣

三曰鍉鍼取法於黍粟之兌長三寸半主

按脉取氣令邪出四曰鋒鍼取法於絮鍼

[illegible]

[illegible]鍼取法於絮鍼
筩其身鋒其末長一寸六分主癰熱出血五
曰鈹鍼取法於劍鋒廣二分半長四寸主
大癰膿兩熱爭也六曰員利鍼取法於
氂尾微大其末反小其本令可深内也長一
寸六分主取癰暴痺者七曰毫鍼取法於
毫毛長一寸六分主寒痛痺在絡者也八
曰長鍼取法於綦鍼長七寸主取深邪遠痺
者也九曰大鍼取法於鋒鍼[illegible]

曰長鋒取法於綦鍼長一寸六分主取……

者九曰大鍼取法於鋒鍼其鋒微員長四

寸主取大氣不出關節者鍼形畢矣此

九鍼小大長短之法也此言九針之狀并言所療之病鑱鍉鍼及鍉針矣反針微之鋒鈹屬之綦針觽之也

九鍼之名各不同形一曰鑱

鍼二曰員鍼三曰鍉鍼四曰鋒鍼五曰鈹鍼六

曰員利鍼七曰毫鍼八曰長鍼九曰大鍼鑱

鍼者頭大末銳主寫陽氣員鍼者鋒如卵形揩

摩分間不得傷肌肉以寫分氣鍉鍼者鋒……

鍼[illegible][illegible]主治分間氣員鍼者鋒如卵形揩
摩分間令不得傷肌肉以寫分氣鍉鍼者鋒
如黍粟之銳主按脉勿陷以致其氣鋒
鍼者刃參隅（叅音三也）以發痼疾鈹鍼者
末如劒鋒以取大膿員利鍼者尖如氂
且員且兌中身微大以取暴氣毫鍼
者尖如蚊虻喙靜以徐往微以久留之
而養以取痛痺長鍼者鋒利身搏（音團）
可以取遠痺大鍼者尖如挺其鋒微

[illegible]

可以取遠痺大鍼尖如梃其鋒微員

以寫機關之水九鍼畢此言九鍼用法

黃帝内經太素卷第廿一 九鍼之一

仁安三年四月六日以同本書寫之

移點校合了　丹波頼基

本云

保元二年仲春廿二日以家相傳本移點比校了

卷七

保元二年仲春廿二日以家[illegible][illegible]本移點比校了

亭長

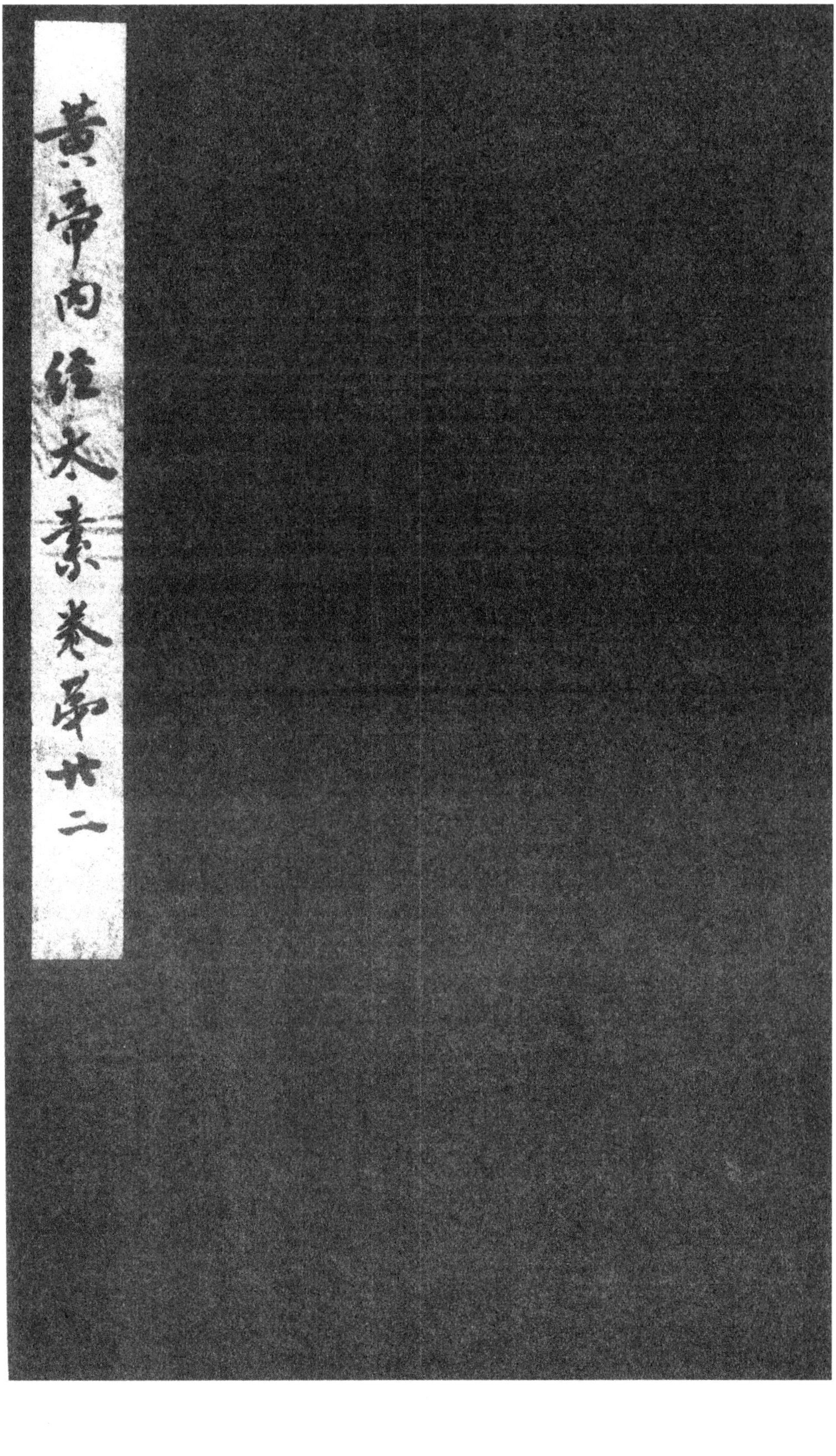
黃帝內經太素卷第廿二

首十二行缺

[illegible]交衝也諸衝皮也黃帝曰持針縱舍奈何[illegible]先

明知十二經之本末起處爲本[illegible]處爲末膚之寒

皮膚熱所血氣道脈氣變也脈之盛衰滑濇其脈滑

[illegible]

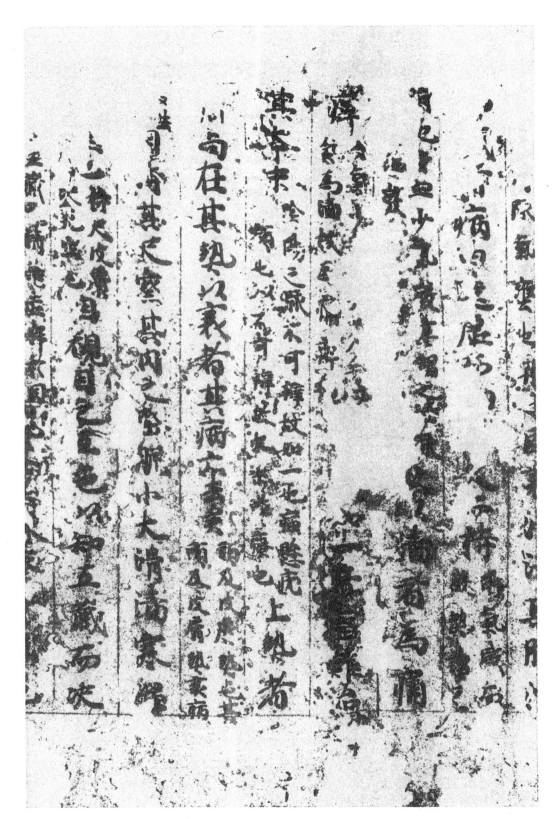

脈氣變也[illegible]其所[illegible]

病[illegible]之所[illegible]陽氣盛故[illegible]

[illegible]血少氣[illegible]上[illegible]者爲痛

痺[illegible]爲[illegible]一痺[illegible]

其本末，陰陽之脈不可辨，故如一也，病雖在上，熱者[illegible]

句在其[illegible]以裏者，其病在裏[illegible]及皮膚[illegible]病

又生[illegible]其尺之寒，其內之堅脆，脈小大滑濇寒燥

之[illegible]候尺皮膚，目視面之色也，以知五藏而決

五藏[illegible]精[illegible]死生[illegible]

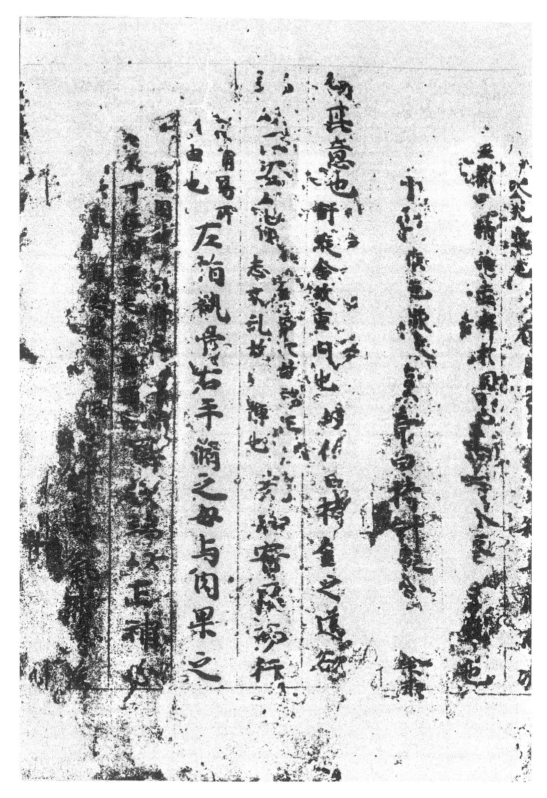

[illegible]

[illegible]入[illegible]也

[illegible]帝曰[illegible]善

知其意也所從舍故責問也岐伯曰持鍼之道欲

[illegible]

[illegible]胃腸所由也左指視骨右手循之毋與肉果之

[illegible]

真氣得居 陰決瀆去令真氣居而不散之也

肉者脈理表所以內其真而營者

皮也又手按脈令內之完害成皮 立下針故曰出刺與精正也 發內而徐端

□以觀部氣發之 黃帝曰善之 尊□ 雅□

於□謂爲先定而擬自而除去之 下□ □調也 黃帝問

伯曰人有八虛各何以候 □以候五藏

□論 兩腋 □□兩□ 屈其□

是謂二氣之過故爲機關 室也真氣之過機關□節絡

不得屈伸故此八□帝曰□之一參可支何曰帝言

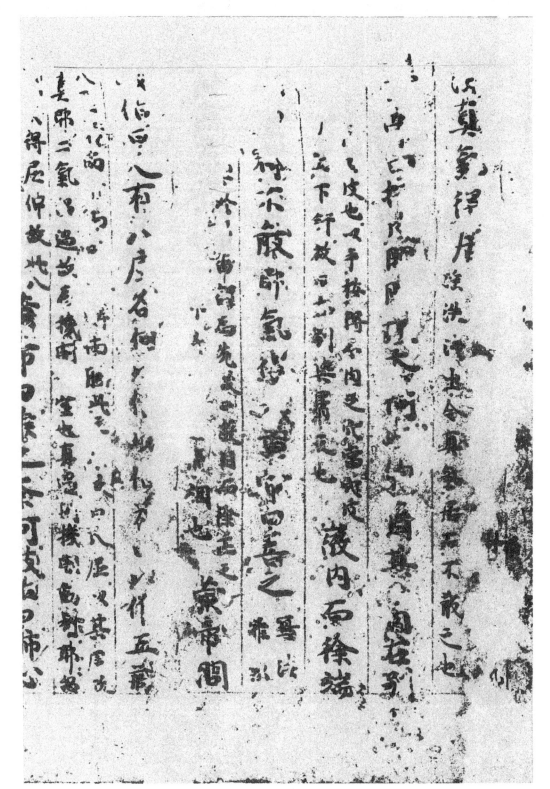

是邪之氣過，故爲機關之室也。其邊機關曲郄部名

得屈伸故也。五藏之氣也。

黄帝曰：候之奈何？岐伯曰：肺心有邪，其氣留於兩肘。肘，肺脈手太陰、心脈手少陰二脈所行，故肘有邪，所留爲候也。

肝有邪，其氣留於兩腋。足厥陰脈下行，氣在中，脇有[illegible]

脾有邪，其氣留於兩髀。[illegible]故髀有邪，髀爲候也。

腎有邪，其氣留於兩膕。足少陰脈入膕内廉，故[illegible]膕有[illegible]爲候也。

凡此八虚者，皆機關之室，真氣之所過，血絡之所遊，邪氣惡血固不得住留，住留則傷筋絡

[illegible]此八[illegible]相屬[illegible]

[illegible]

□是屋[illegible]

秘閣之室而其俱受天之有情[illegible]也 黄帝曰歧伯曰

[illegible]

[illegible]未有聖賢者土之間[illegible]手持

[illegible]於物[illegible]生[illegible]

[illegible]

子[illegible]

人之爲道[illegible]上合[illegible]

人之為道，上合[illegible]，下合[illegible]，中合[illegible]，必
有明法，以起度數，法式檢押，乃後可傳焉。
合理乃後傳之，法為法度，押為使也。故匠人不能釋尺寸而意
短長，廢繩墨而起平水也；工人不能置規而為
匠人之度，非以[illegible]為短長[illegible]
[illegible]
圓也，工[illegible]去矩而為
方。此是大巧之智之為數也。此用[illegible]理，以[illegible]
循聖人也。知用此者，固自然之物，易用之教，逆
順之常。繩墨非他，亦自然之繩墨，因其自然，故其數
用易者，故逆順之所為，逆順之得常之也。
[illegible]

以其常用易長故違其明為逆順之得常之也

黃帝曰願聞自然奈何岐伯曰臨深決水不用功

有……而經可通……言

之滑濇……之清濁行之逆順也……故者非……也……

便而水可竭故曰自然之也

……行之逆……自然之

伯……帝曰願聞人之白黑肥瘦少長各有數乎

……異也肥瘦形異……長……異也岐伯曰年質壯

則之深淺多為分不同故曰有數乎也

……

之此為……

[illegible]平[illegible]此[illegible]

之此為肥人也廣肩腋項肉薄厚皮而黑色脣臨臨然[illegible]

血黑而濁其氣濇其為人貪於取與刺此者深

留之多益其數[illegible]黃帝曰刺瘦人奈何岐

伯曰瘦人者皮薄色少肉廉廉然薄脣輕言其血

[illegible]此者淺而疾之

瘦人謂天[illegible]黃帝曰刺常人奈何岐伯曰視其白黑各

為調之其端正乇厚者其血氣和調刺此者無

[illegible]數也一常謂平和不肥瘦人[illegible]之依於常[illegible]

[illegible]之其[illegible]也[illegible]者其血氣和調刺此者無

常數之 常謂平和不肥瘦人大小之候於淺常數者[illegible]之者[illegible]也 黃帝曰

刺[illegible]有素[illegible]岐伯曰刺壯士真骨堅肉

緩節監監然此人重則氣濇血濁刺此者深而留

之多益其數[illegible] 勁則氣滑血清刺此者

淺而疾之也 勁急 黃帝曰刺嬰兒奈何岐伯

曰嬰兒者其肉脆血少氣弱刺此者以豪

[illegible]刺嬰兒[illegible]再[illegible]遍[illegible] 黃帝

曰臨深決水奈何岐伯曰血清氣滑疾寫之則[illegible]

曰臨深決水奈何岐伯曰血清氣滑疾寫之則氣竭焉自有血清氣滑疾寫之如臨深淵決水不可行也若血濁氣濇為形壯氣藏可取自血之便利而寫之如之

黃帝曰循掘決衝奈何岐伯曰血濁氣濇疾寫之則經可通也循其血氣掘決其衝寫之通之從其下也黃帝問曰逆順五體言人骨節之小大肉之堅脆皮之厚薄血之清濁氣之滑濇脈之長短血之多少經絡之數余已知之矣此皆布衣匹夫之士也夫王公大人血食

此衣匹夫之士也夫王公大人血食
之君身體柔脆肌肉𢤎弱血氣慓悍滑利其
刺之徐疾淺深多少可得同乎岐伯荅曰
膏粱菽藿之味何可同也氣滑則出疾氣濇
則針大而入深深則欲留淺則欲疾以此觀之刺
衣者深以留刺大人者微以徐此皆因氣
慓悍滑利者也脉氣五十動有代〻也不滿五十動一代者逆也言大人食以膏粱布衣
故刺之深淺去留之異也黃帝問曰形氣之逆順
岐伯曰形氣不足病氣有餘是邪勝也急寫之

故大之深淺去留之異也

何岐伯答曰形氣不足病氣有餘是邪勝也急

寫之急寫邪氣補形氣也形氣有餘病氣不足急補

之急以正氣補正邪氣則病除也形氣不足病氣不足此陰陽

氣俱不足也不可刺之刺之則重不足重不足

則陰陽俱竭血氣皆盡五藏空虛筋骨髓枯

老者絕滅壯者不復矣形氣不足者不可刺宜以藥調其形氣有

餘病氣有餘此謂陰陽俱有餘也急寫其邪

謂其實虛故曰有餘者寫之不足者補之此之
此皆□□□□□□瀉氣□□□□有餘者
謂□□□□瀉其氣以調撥氣使和也
故曰刺
不知逆順真邪相薄滿而補之則陰陽四
溢腸胃充郭肝肺內膜陰陽相錯
滿而補之陰
陽之氣滿溢
文然曰四溢腸胃氣藏者以脹而充郭肝肺俱
以新曰內膜也□反陰陽俱錯□□相錯也
虛而寫
一則經絡空虛血氣竭枯腸胃攝辟皮膚薄
著毛腠夭膲予之死期
皮膚薄著骨無氣也
毛腠夭□腫也又
故曰用金

者有隋者此一乎齊其道也　揣試輙也又言曰用金

之要在〃知〃調〃陰〃與〃陽〃精氣乃光合形與氣

使神內藏　光章盛良神內藏　精五神常藏也　故曰上工平氣中工亂

脈下工絕氣危生故下工不可不慎也　平氣致氣和也　下工守形不知

傷害　故不可不慎也　必審五藏變化之病五脈之

應經絡之〃實虛皮之柔麤而後取之　五脈五時之脈也

麤謂皮之皮膚　讀也

鍼解第

黃帝問曰願聞九鍼之解……又……官……謂用針時……十……

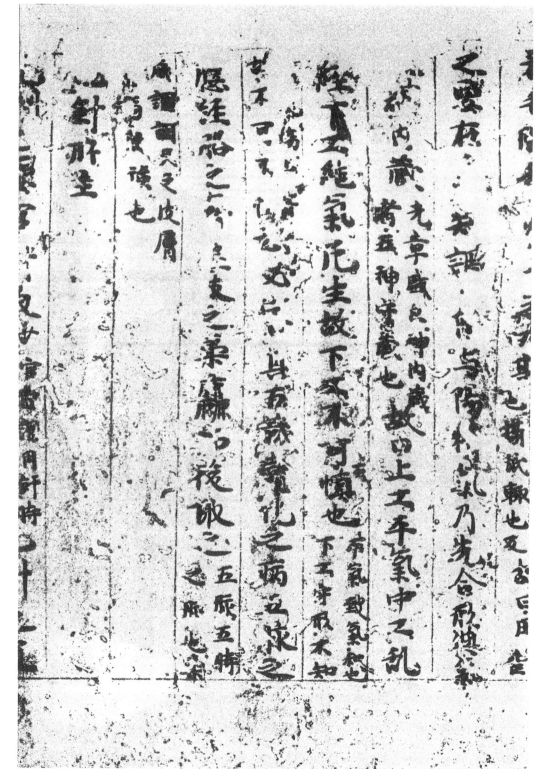

官針第三

凡刺之要官針最妙 官者謂用針時 九針之宜

各有所為長短小大各有所施 [illegible]針也 不得其用病

不能移 [illegible] 病淺針深內傷良肉皮膚為癰病深

[illegible] 病氣不寫反為大膿病小針大氣寫太甚

[illegible]後為害病小針小大氣不寫而後為敗夫

針之宜大者大寫小者不移已言其過請言其

所施 [illegible] 病在 [illegible] 無常處者 [illegible]

[illegible]

所[?]要[?]言用法也[?]不[?][?]害[?]者[?]

[?]云[?]鍼於病所膚白勿取鑱針頭大末銳主寫陽氣故皮膚痛無常處[?]

氣也痛處膚白[?]也[?]痛移不可取也病在分肉間者取以員針

[?][?]十[?][?][?][?]大[?][?]大傷肌以寫分氣也病在脈氣少當補

之者取以鍉針於井滎分輸鍉針之狀鋒如黍粟之兌主[?][?][?]井滎之輸[?][?]

[?]氣病為大膿者取以鈹針鈹針之狀末如劍鋒以取大膿也病痺

氣暴發者取以員利針員利針狀如氂[?][?]所取暴痺痺病氣

[?][?]不去者取以[?]針[?][?]針之狀長如蚊[?]之喙靜[?][?]之養[?]以取痛痺

也病在中者取以長針[?]長針之狀鋒利身薄[?]

[illegible]鈹針以取[illegible]也

病在中者取以長針長針之狀鋒利身薄又取深中遠痺也病水

腫不能過關節者取以大針大針之狀尖如挺其鋒微圓以[illegible]

刺病在五藏固居者取以鋒針寫于井滎

分輸取以四時鋒針之狀刃參隅以發固居之疾寫於井滎分輸取以四時也

三刺

所謂三刺則穀氣出者先淺刺絕皮以出陽邪謂陽刺則邪陰邪刺穀氣邪出也陽再刺則陰邪出

[illegible]

[illegible]絕皮[illegible]間[illegible]陰邪欲深在

浮淺在皮故一刺或取陽邪得出也　再刺則陰邪出

者少益深絶皮致肌肉未入分間也陰邪次深在於肌肉故乘

之也已入分肉之間則穀氣出穀氣者正氣也故後刺極深以致正氣也

故刺法曰始刺淺之以逐邪氣而來血氣後刺深

之以致陰氣之邪最後刺極深之以下穀氣此

之謂也逐邪氣次逐陰邪氣也取正氣也下穀氣穀下行之令下也故用鍼

者不知年之所加氣之盛衰虚實之所起不

可以為工也人之大忌七歲已上次第加九至一百六名年加也不知年加氣之盛衰虚實不知也

凡刺之屬三刺至穀三刺行於皮肉穀氣陰陽二脈

……之也……知年加氣之盛衰虛實而不知也

凡刺之屬三刺至穀三刺行於穀氣也邪僻妄合陰陽二氣妄與正氣

之也陰陽易居若曰易居三也逆順相反營氣逆行衛氣順脈以為相

也沈浮異處寒熱沈浮或四時不得謂四時脈不相順也故曰異也

稽留淫泆言血氣或有聚留或有淫泆過度也須針而去以此六過之

須微針以之之也一刺則陽邪出再刺則陰邪出三刺則

穀氣至而止所謂穀氣至者已補而

實已寫而虛故以知穀氣未也已補而實已寫而虛皆正氣至故病愈也邪

……陰與陽未能調而病知愈也……行補寫

……皆正氣至故病愈也耳

氣獨去者，陰與陽未能調，而病知愈也。行補寫已，邪氣已去，以陰陽未調，疾□未全，然後必愈矣也。故曰補則實，寫則虛，痛雖

不隨鍼，病必衰去矣。引正□，□也。陰盛而陽虛，先補

其陽，後寫其陰而和之。陰虛而陽盛，先補其陰，

後寫其陽而和之。□□□□為約，虛補之為難，故先補後寫也。三脈重足

大指之間。三脈足陽明是，厥陰是，大陰三脈也。足之太陰脈起足之太指端，循指內側白肉際，過覈骨後上

□□言□□，循足□，此言重在大指間者，從大指端循之

□太相間，□□受殼，乎而工也。是厥陰脈起大指叢

有衛重在少陰上之之循足附□□□□

小大相閒，從數取而上也，是厥陰脈起大指叢

者謂重在於少陰上之不輔足附之 大指之間也，大指附者，下入陰之上 必審其實

虛，虛而寫之，是謂重虛，重虛病益甚 必審大指間三脈虛

實，以手按之，脈補虛者，反寫其實者，不知三脈有

實，寫其虛者，是謂重虛，重虛病益甚也。

凡刺此者，以指按之，脈動而實且疾者疾寫

之，虛而徐者則補之，反此者病益甚。其重也，

陽明在上，厥陰在中，少陰在下 三脈有動而實者，有徐而虛

者。膺腧中膺，背腧中背，肩 膺腧在胸中 背腧在背中也

補寫也。

補寫也 膺輸中膺 背輸中背 背輸在脊中也

肩膊虛者取之上 肩膊虛取之上也 重舌刺舌柱

以鈹針也 [illegible] 手屈而不伸者

其病在筋 不屈者其病在骨在骨守骨

在筋守筋 是足少陰……可……少陰脈發會之穴以行補寫……之厥陰主筋可守之厥陰脈發會

補須一方實深取之希按其痏以極

出其邪氣 是此者下脈一寫守方虛也欲行寫者須數後……為寫深取之者

一方虛淺刺之以養其脈 ……針傷……使氣洩

……氣得……補者須補虛……

者浮按針傷之廣使氣泄

痏按其無使所氣得入也行於補者須補處是虛淺取者恐其洩氣所

以不深也以養其脉者留針養其所取之經也按其痏

若拔針傷之處廣開其門使邪氣入正氣不出也

有

邪氣來也堅拒候殺氣氣來也除而知針下得氣堅拒者疾

亦淺刺之以泄其氣脉虛者淺

氣無得出以養其脉獨出其邪氣

藏之刺諸痛者深刺之諸痛者其

少也

脉之實深為淺

月故淺刺毒以上者手太陰陽

[illegible]者[illegible]太陰陽[illegible]

腰脊其合孫絡以下者足太陰陽明皆主之肩以上為天〻陽〻主天故手太陰〻陽明主之也脊以下為〻〻陰主地上故足太陰之陽明主之也病在上者

下取之病在下者高取之手太陰下接手陽明手陽明下接足〻陽〻明〻下接

足太陰以其上下相接故手太陰陽明之上有病宜療足[illegible]之上療手太陰陽明故曰高取

也病在頭者取之足病在腰者取之膕足六三陰

三陽〻〻氣〻〻陽至足故病當頭取之足也足太陽脉挾脊入膕故病在脊以取膕也病生于

頭者頭重生于手者臂重生于足者足重

[illegible]病[illegible]先刺[illegible]其病所從生者[illegible]頭手足有

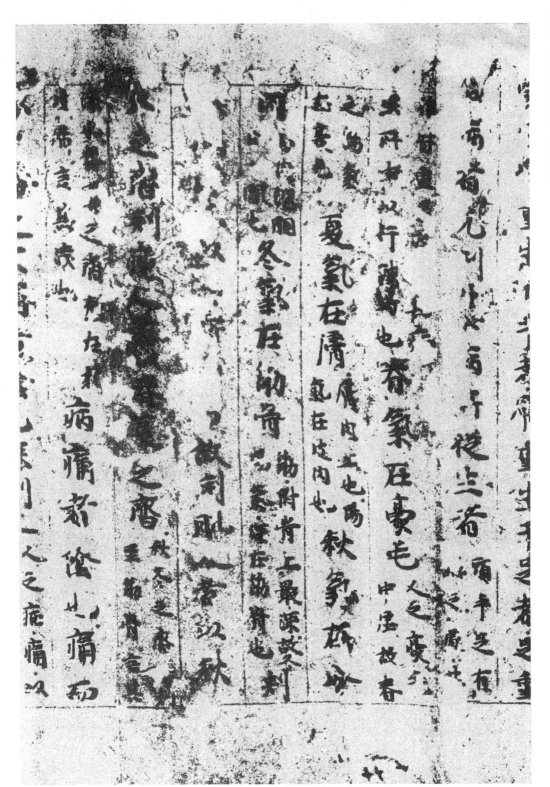

[illegible]重[illegible]是者是重

[illegible]前[illegible]凡則[illegible]于從生者　頭手足在外[illegible]

[illegible]重[illegible]

[illegible]丹[illegible]以行陽也[illegible]春氣在豪毛　人之[illegible]中虛故春

之[illegible]　[illegible]也

夏氣在膚　氣在皮内也　膚肉上也陽　秋氣在分[illegible]

[illegible]以[illegible]冬氣在筋骨　也[illegible]在筋骨也　筋附骨上最深故冬刺

[illegible]以[illegible]帶[illegible]故刺[illegible]以秋

[illegible]之[illegible]剌[illegible]之[illegible]　秋天之[illegible]　[illegible]筋[illegible]

[illegible]之[illegible]病痛者陰也痛而

帝言[illegible]哉也

[illegible]一人之病痛以

瘖言異狀也 病痛者陰也痛而

以手按之不得者陰也深刺之 人之痤痛以手按之得與

不得……者 ……者陽也在下者

陰也癢者陽也淺刺之 衛氣行皮膚之中[illegible] 癢故淺刺之也

病先起陰者先治其陰而後治其陽病先

起陽者先治其陽而後治其陰 皆療其本也

……厥者 ……留針反為寒

……久者刺先熱動針留之為 ……寒氣寒……留之為熱也 刺……厥者二陰一陽

……所謂二陰者二刺陰也一陽……

□氣實於□，謂不爲熱也。□用□二陰一陽

寒厥者，二陽一陰，所謂二陰者，二刺陰也；一陽者，

一刺陽也。熱厥爲陽分也，肌肉爲陰分也，刺熱厥者二度刺陰留補其陰，一度刺陽留寫陽也，刺寒厥之

二也。病□□入□刺□□內者，深內而久留之，

間日而復刺之，必先調其左右，去其血脈，刺道

畢矣。病久，邪入深，物深之，故所深取，久而不可去之。邪氣不能遠出，故須間日而取之，必先調左右

血絡刺而去，可謂脈□□理有 凡刺之法，必察其形氣，形肉

未脫，少氣而脈又躁，躁厥者，必爲繆刺之。以□繆刺

□也，脈□□脫，□形也，□經其氣也，脈躁厥

者脈少氣而脈又躁〻厥者必為之繆刺

〻〻也形〻〻既〻〻故也〻〻繆其氣也脈躁疾　其脈也有此三種所以必須繆刺太陽左則右〻則左也

散氣可收聚氣可布　者散也繆刺之益正氣散　而收聚聚氣聚而可散也

〻〻〻靜處為針調氣凡有六種深與神往來去要　許一也〻〻跡

〻〻動　二也　閉戶塞牖魂魄不散　〻〻散守　魂魄三也　專意一神

精氣不分　異甚守　精神四也　毋聞人聲以收其精　注意　聽白〻

精氣　五也　必一其神令之在針淺而留之微而浮

〻〻令〻〻〻〻無平和也〻針易〻〻　和氣六也

[illegible]

[illegible]和氣六也

下經曰勿出謹守何謂是謂得氣 男者在家故爲内也女者出家故爲外也是男爲内女爲外氣針下沉易出緊曰勿令出也得外外氣謹守勿令入内也

三變刺

黃帝問曰余聞刺有三變何謂三變伯高答曰有刺營者有刺衛者有刺寒痹之留經者黃帝問曰刺三變者奈何伯高曰刺營者出血刺衛者出氣刺寒痹者内熱 刺營見血去惡血也刺衛見氣去邪氣也刺痹見熱去[illegible]也

寒痹之[illegible]

嘉也刺痺見熱故曰二也

寒溫之氣入而實其故使之可散以去其痺也

黃帝問曰營衛寒痺爲

病奈何伯高答曰營之生病也寒熱少氣血上下

行衛之生病也氣痛時來時去怫愾賁響風

寒客於腸胃之中寒痺之爲病也留而不去時

痛而皮不仁怫愾上扶謂反下許氣反氣盛滿貌賁響腹脹貌也黃帝問曰

刺寒痺內熱奈何伯高曰刺布衣者以火焠之刺大

七毫乙

人者藥熨之黃帝問曰藥熨之奈何伯高曰

人[illegible]之[illegible]
氏[illegible]薑一斤桂一斤凡四種
皆㕮咀漬酒中用綿絮一斤細白布四丈并內
酒中置酒馬矢熅中蓋封塗勿使泄五日五夜
出布綿絮曝乾復漬以盡其汁每漬必晬其日乃
出乾并用滓與綿絮複布為複巾長六七尺為
六七巾則用之生桑炭炙巾以熨寒痹所刺之
處令熱入至于病所寒復炙巾以熨之卅遍[illegible]
[illegible]

汗出以巾拭身亦卅遍而止

而出起步內中無見

風每刺必熨如此病已矣此所謂內熱也

酒椒薑桂四物性熱又漬氣故用之熨皮膚適而可刺
起於室中日無風亂之時因以令道也又帶內更理才竪

咳且帖調居細久壽也跡
良頓足一日謂時也

五刺

凡刺有五以應五藏一曰半刺半刺者淺內而疾

發針令針傷多如拔髮以取皮氣此肺之應也

凡藏十分今言半刺當半分故以拔之而至刺自也

氣令傷欠如拔毛狀以取皮氣此肺之應刺

無令言半刺當是半分故又按此言之淺多豈

二曰豹文刺豹文

刺者刺左右前後針之中脈為故以取經絡之

血者此心之應也左右前後針之中脈為故豹文刺者中脈及絡以出血也三曰關

刺關刺者直刺左右盡筋上以取筋痺慎無出血

此肝之應也或曰淵刺一曰豈刺關身之左右盡筋上以去筋痺故曰

淵刺或曰豈刺也四曰合谷刺合谷刺者左右雞足針于分肉之間

以取肌痺此脾之應也刺身左右分肉之間痛如雞足之狀以合分肉間之氣故曰合刺

五曰輸刺輸刺者直入直出

[illegible]之，以合分肉間之氣，故曰合刺。

五曰輸刺，輸刺者，直入直出，深內之至骨，以取骨痹，此腎之應也。輸，致也，深內至骨，以去骨痹，故曰輸刺也。

五藏刺

邪在肺，則病皮膚寒熱，上氣喘，汗出，欬動肩背。肺病五有。取之膺中外輸，背三椎五椎之傍，以手疾按之快然，乃刺之，取之缺盆中以越之。膺中外輸在膺前也。膺中外輸，輸名也，在背第三椎兩傍各一寸半，五椎兩傍各相去三寸，按之快然，以為輸也，取其肺輸，取缺盆中也。

[illegible]手刺而[illegible]

小楪之快〻然悲爲無也腑是□□□取批卿〻又師斷血者也

邪在肝則兩脇中痛寒中惡血在內行善瘛

節時腫 肝病□□ 取之行間以引脇下 行間足厥陰脈滎所流也

在大指間行在脇下故引而 補三里以溫胃中 三里足陽明胃

為□滿陰陽之小異也 以人為寒中陽虛也故取三 里之陽明胃中溫也 取血脈以散惡血 惡血在內上下

引者取其病處之脈 見者刺而出之也 取耳間青脈以去其瘛 耳間青脈附足

少陽脈瘛脈一名資脈在□本如雞 足青脈脈刺出血如豆可以去瘛也 邪在脾胃則病

肉痛陽氣有餘陰氣不足則熱中善飢陽氣

[illegible]

陽氣有餘陰氣不足則熱中善飢陽氣
足陰氣有餘則寒中腸鳴腹痛陰陽俱有
餘若俱不足則有寒有熱皆調於三里陽氣即是
陽明也陰氣即是太陰也此脾之七經所取三里故行補寫故曰調之邪在腎則骨
痛陰痺陰痺者按之如不得腹脹腰痛大便難
肩背頸項痛時眩取之涌泉崑崙視有血者盡
取之涌泉足少陰脉所出在足心陷中屈足捲指宛中崑崙足太陽經在外踝後跟骨上陷中骨之
下痛皆取此二穴則去血也邪在心則病心痛喜悲時眩
仆視有餘不足而調之其輸心病三種故調其

……則去互也。所有心則痛。心有憂思則……

作視有餘不足而調之長輸。心痛三視特調其手心主經脉之輸也

五節刺。

黄帝問於岐伯曰：余聞刺有五節，奈何？岐伯對

曰：固有五節，一曰振埃，二曰發矇，三曰去爪，四曰

徹衣，五曰解惑。節，約也。謂刺道節約也。於此事如若也。黄帝曰：夫子言

五節，余未知其意。岐伯曰：振埃者，刺外經，去陽

病也。以下言刺道五節之意也。外經者，十二經脉入府藏者以為内經，行於四支及皮膚者，以為外經也。

發蒙□刺府輸，去府□。十六府廿六輸……

也。絡脉之內經，行之四支及皮膚者以爲外經也。發矇者，刺府輸，去府病也。六府廿六輸，皆爲府輸也。去爪者，刺關節之支絡也。關，四支也。四支，節之大節也。支絡，孫絡也。徹衣者，盡刺諸陽之奇輸也。諸陽奇輸，謂五十九刺，故曰盡也。解惑者，盡知調陰陽，補寫有餘不足，相傾移也。寫陰補陽，寫陽補陰，使平，故曰相傾移也。黃帝曰：刺節言振埃，夫子乃言刺外經，去陽病，余不知其所謂也，願卒聞之。岐伯曰：振埃者，陽氣大逆，上滿於胸中，憤䐜肩息，大氣逆上，喘喝坐伏，病惡埃煙，噎不得息，以下闕卷，解釋並刺

中憤瞋肩息大氣逆上喘

喝坐伏病惡埃煙饐不得息（以下問荅解釋五刺節義埃塵發之證）

（此三種陽病惡於埃塵煙氣其病令人氣滿閉塞嗌喘言其埃也鉤嘉之也）請言

振埃□□於□□□也（以下言其振埃也對之表□□□□振埃故曰振埃也）黃

帝曰善取之何如岐伯曰取之天容也（天容在耳下曲頰後是也）

（問脈氣所發也）黃帝曰其欬上氣窮詘胸痛者取之

何如岐伯曰取之廉泉也（詘音屈窮詘氣不申也　廉泉在頷下結喉上也）

（廉泉）黃帝曰取之有數乎岐伯曰取天容者無

過一里取廉泉者血變而止黃帝曰善

埏反 言取之有數乎岐伯曰取天容者無
過一而里取廉泉者血變而止黃帝曰善 一里一寸也故
咽當刺之入容一寸也 黃帝曰刺節言發蒙余未得其
意夫發蒙者耳無所聞目無所見夫子乃言
刺府輸何使然願聞其故 蒙莫東反耳謂目不所也 岐伯曰
妙乎哉問也此刺之約針之極也神明類也
是節問……謂之刺去膜也去脈 謂於耳目去蒙所明故曰神明類也 口說書卷猶不
能及也 發蒙愈疾之速也神言書所不及也 請言發蒙尚疾於
發蒙也 岐伯答請曰竟……

所及女神言書所不及也言意發明志府才

發矇也岐伯請自竟發矇之事也黃帝曰善願卒聞之岐伯曰

刺此者必於日中刺其聽宮中其眸子聲聞

於耳此其輸也黃帝曰善何謂聲聞於耳岐伯曰

刺邪以手堅按其兩鼻竅而疾偃其聲必應

於針也黃帝曰善此所謂弗見為之而無目視見

而取之神明相得者矣日中正陽故開耳目取日中也手太陽脉支者至目兌眥却入耳中手足少陽脉支者從耳後入耳中出走耳前至目兌眥故此三脉皆會耳目聽宮俱近目中眸子眸子目中瞳子也刺聽宮穴眸遠近故聲聞於耳也針聽宮時候聆聽者識氣會

令耳目陵宮俱逆日中時子時子目中瞳子也刺聽宮蔡於瞭
聰速急故耳聾開於耳也針聽宮得陽暴於眼者識氣令生於耳目以行之通身以令之然者得之於神明亦
出有所而見脊也　黃帝曰刺節言去爪夫子乃言刺關節
之支絡願卒聞之岐伯曰腰脊者身之大關節
也股胻者人之所以趨翔也莖垂者身中之
機陰精之候津液之道也　此謂人之尻甲肝之處也肝足厥陰脈循於陰
器故陰器有病如尻之疾碩去之或水字誤為尻字也窮脊於手足之關節為機故曰大關節也陰莖在胃
下故中身發義夫數有為化也曰機之精候　如故為行也絕中也故　故飲食不節
喜怒不時飲食不節喜以食無度津液內溢乃下

[illegible]

喜怒不時飲食不節言飲食無度言其喜怒不時及春夏也津液內溢乃下

溜於睾言飲食多水洪流入陰器囊中也睾高也水道不通日大不休

俛仰不便趨翔不能此病滎然有水不上不下

水道既閉日日長大也滎然水聚也不上者上氣不通不下者小便及氣下不泄也鈹石所取形

不可匿常不得蔽伏命曰去黄帝曰善言去又下

形也蔽寒也言下鈹針使水聚以腎…開…刖節言繳…

夫子乃言盡刺諸陽之奇輸未有常處也願卒

[illegible]

夫子乃言盡刺諸陽之奇輸，未有常處也，願卒聞之。岐伯曰：是陽氣有餘而陰氣不足，陰氣不足則內熱，陽氣有餘則外熱，兩熱相薄，熱於懷炭，外重絲帛衣不可近身，又不可近席，腠理閉塞不汗，舌燋脣槁，腊嗌乾，欲飲食不讓美惡。陰衰陽盛，陰氣在內，陽氣在外，陰衰在外，陽氣盛，陰衰陽盛之故，汗不降停也。重絲帛衣，覆衣也。腊，肉乾也，肉燥盛陽，故飲不擇好惡也，隨性求受也。黃帝曰：善。取之奈何？岐伯曰：取之其天府、大杼三痏，有刺中膂以去

[illegible]何也伯曰[illegible]其府大杼三[illegible]

其熱[illegible]不杼以寫[illegible]日是也熱陽[illegible]氣非發為陽氣之要[illegible] 補足手太陰以出其汗熱

去汗希疾於徹衣黄帝曰善 手太陰主氣足太陰主穀氣此二陰氣不足為陽所乘陰氣

不減以其熱病故寫盛陽補[illegible]陰於二陰得實陰氣得通流液故汗出熱去[illegible]於[illegible]衣故以徹衣也

黄帝曰余聞刺節言夫子乃言盡知調陰陽補寫

有餘不足相傾移也惑何以解之岐伯曰大風在身血

脈偏虚虚者不足實者有餘 大風謂是[illegible]風寺風也 輕重不得

傾側宛伏 手之[illegible]身[illegible] 也宛謂宛[illegible]也 不知東西又不知南北

[illegible]

候當干也窮詐窮也其知其而不知南之

四鍼也上左下左上反覆顛倒無常甚於迷惑志言

性也黄帝曰善取之奈何岐伯曰寫其有餘補其不

足陰陽平復用鍼若此疾於解惑盡知陰陽虛實行於補寫使和也

黄帝曰請藏之靈蘭之室不敢妄出也靈蘭之室

黄帝藏蓋之府令之靈臺故之秘者也

五邪刺

黄帝曰余聞刺有五邪何謂五邪岐伯曰病有持癰

黃帝問於岐伯曰余聞刺有五邪何謂五邪岐伯曰病有持癰
者有容大者有狹小者有熱者有寒者是謂五
邪。黃帝曰刺五邪奈何岐伯曰凡刺五邪之方不
過五章（章），癉熱消滅，腫聚散亡，寒痺益溫，小者益
陽，大者必去，請道其方。（五章[illegible]熱為章也　寒熱癰病也香丹）凡刺癰邪
無迎隴（隴，大盛也。癰之大盛將有　膿，不可迎而寫之。）易俗移性不得膿
詭道更行，去其鄉，不安其處所，乃散亡。（易其常　行法去
之俗，移其氣為寒溫之性，更量暖之所在，上下正傍
以得為限，故曰去其鄉，不安於處，一病乃散亡也。）諸
[illegible]一　諸陰陽之脈過

以得爲限故曰去其邪氣安救處一上病乃救已也　試
陰陽過離所者取之其輸寫之　諸陰陽之脈過離所者可取處
之所也所輸寫之也　凡刺大邪曰以小　以小泄之　泄奪有餘乃益虛慓其
道針于其邪肌肉親　大邪客實者也所以寫委易故泄之益虛和也於針之道
戰也其義以針于邪使邪氣得去肌肉相附也邪附也　視之毋有反其真　視邪氣無
有反其真氣乃正也　刺諸陽分肉間也長邪左所也　凡刺小邪曰以大補
其不足乃無害　小邪虛外也行補爲勢也故曰大補使實實也　視其所在迎
之界遠近盡至不得外　外爲之際也視虛邪時衆盡有氣也須引至虛時令實不得外
而不足乃行之乃自費　侵也補須實知即以補則

之則[illegible]不得[illegible]至[illegible]令實不[illegible]外而不至也侵而行之乃自費侵，進也。補須實，知邪必補，刺分肉過邪損正氣。費，損也。

之間也刺小邪所在也。凡刺熱邪越而滄，出遊不歸乃無病，為

開道辛刺熱之道，寫邪出氣之覺然熱氣不歸之病則滄也。辟門戶，使邪得出

病乃已辟，開也。凡刺寒邪日以溫，徐往疾去，致其神門

戶已閉，氣不分，虛實得調真氣存刺寒之道，日日使溫，徐往而入，得溫氣已，去疾而出，針以致神氣為意也。

黃帝曰：官針奈何？岐伯曰：刺癰者

用鈹針，刺大者用鋒針，刺小者用員利針，刺熱者

用[illegible]者，九針之[illegible]請[illegible]

用鍉鍼者大者用鍉鍼者用鍼者者

用鑱鍼〻者寒熱用鍉金〻【用此五鍼是所宜也｜九鍼者九鍼之次】請言

解論與天地相應，四時相副，人參天地，故可為解。【人參天地故可為解人｜之應天地之數故請言之】下有漸洳，上生葦蒲，此所以知

形氣之多少也。【知汝浸及漸洳之氣也見葦蒲｜之茂悴知漸洳之多少觀人形知之】

【雖猶識五氣｜之盛衰之】陰陽者，寒暑也，熱則滋而在上，根

莖少汁，人氣在外，皮膚緩，腠理開，血氣減，汗

大泄，肉淖澤。【春夏陽而暑也草木陽氣滋其枝葉｜根莖少汁也葉莖也於本葉為莖】

形上【知】人大如之氣溢於外皮膚上則之表之人[illegible]

…根至少汁也義並也於本義爲業者
非也加之大如血氣凝於外皮膚 陰陽太汗或出血氣内實 寒則地凍水冰人
氣在中皮膚緻腠理閉汗不出血氣強
肉堅濇 秋冬陰氣寒也陽氣下降寒氣在地地凍水 冰人氣在人陽氣入藏陰氣在於皮膚故腠理閉
堅血 内堅濇也 當穿地者不能鑿凍善用針者
亦不能取四厥而脉濇濇堅積不往來者亦未可
即柔冰之性流故知 又法言冰可往而冰未可流人之經四 [illegible]冬厥[illegible]不能針也下之醫者鍼灸之形
解而針傷肌破肉更增作病 故行水者必待天溫冰釋
可不義微四厥四支寒冷也
凍[illegible]

可不襄數四厥四支也冬也故行水者必待天溫冰釋
凍解而水可行地可穿也人脈猶是也治厥者必
先熨調和其經掌與腋肘與脚項與脊以調之
火氣已通血脈乃行然後視其病脈淖澤者刺而
平之春行水穿地者必待春夏也冬日用針者須於溫湯之中熨令經脈淖調適然後可行針也兩腋兩肘兩脚腦項脊之背脊也之十二經脈所守之處皆熨之令氣通也堅緊者破
而散之氣下乃止此所謂以解結者也堅之堅緊因適破散令其
因依用針之類在於調氣氣之不調則病故療病者在於調氣也
積於胃以通營衛各行其道胃受水穀以未分氣

……鍼之者……痛……於咽……氣也……

積於胃以通營衛各行其道胃受水穀以資於氣故水穀之氣精於

宗也……起於四……衛在脈外今月計營於衛流於營衛更各行其

也宗氣留於海其下者注於氣街穀入於胃其氣清者

宗氣者下氣於胃之氣上出於口以為噫氣積氣海者所謂膻中氣也動氣下者注氣街

厥其上者走於息道所走之清氣積於海者走於息道以為呼吸也

故厥在於足之宗氣不下脈中之血凝而留止弗之

未能取之厥逆冷者足之動氣未循脈行下聚於足故曰凝而留止也冬日不用火調不

……取……

亡其俞耳矣兵於是故曰後而出也冬日用大淵木
手取也
且刺者必先察其經絡之實虛切如循之貫刺
之視其應動者乃後取而下之之液
上下然後刺之實則切而循之視三則按其下針
之脉以手彈之視其變動然後取而下之也 六
調之不病雖病謂之自已也 三陰
相得不可得病雖多一然上實下虛而不通
部為病者當自已也
一經橫然盛加於大經令之不通而
此所謂解結者也一經十二經中隨是何經也夫
絡隨經上下故為絡脉
傍引為橫也正經上實下虛者必是橫絡受邪

此[illegible]也[illegible]隨[illegible]下故為[illegible]脈[illegible]
嫌刺滎為標也正注上實下虛者也是橫絡是脈上[illegible]此結絡以太陽經之所[illegible]之經也為解結
熱先刺其項大陽久留之已刺則熨項與肩
胛令熱下合乃止此所謂推而上之者也上寒膂上
下熱膂以下熱頸太陽太陽脈也久留針者推引熱使之上也熱氣在於肩項熨令和之故得使下也
熱熱在上故曰推而上之也上熱下寒視其虛脈而陷下於經
絡者取之氣下乃止此所謂引而下之者也膂以上熱膂以下寒
視膂以下有虛脈陷於經絡者久留針使氣下乃止故曰引而下之者也大熱遍身狂而
妄見妄聞妄言視足陽明及大絡取之足陽明主熱

鍼瀉氣下乃止故曰引而下之者也大熱遍身狂而

妄見妄聞妄言視足陽明及大絡取之是足陽明主熱其氣強盛以掌

身之衛及至言多因此脈故取陽明巨經及絡以去之也虛者補之血實者瀉之

因令偃臥居其頭前以兩手四指挾按頸動脈久

持之卷而切推下至缺盆中復止如前熱去乃止

此言推而散之者也於足陽明在下下尽熱極消積下為經也上之頭脈盛而實

實可刺去是以譬之因令偃臥以手按人迎之脈從下至缺盆中復上來去使熱氣減盡乃可休止故曰推而散

也可不為疾上如落之謂也黄帝曰有一脈生數十病者或痛或

癰或熱或寒或癢或痹或不仁變化無窮其故何

之輸故曰遠道也三曰經刺經刺者刺大經之結絡經分也大經同經

諸絡故曰絡刺邪至刺也四曰絡刺絡刺者刺小絡之血脈也刺於絡也五

曰分刺分刺者刺分肉之間也六曰大寫刺大寫刺者刺大

膿以鈹針也七曰毛刺毛刺者刺浮痺皮膚也

刺於皮膚淺者隨此之狹兵八曰巨刺巨刺者左取右右取左也刺於大絡左右脈取

臣大也九曰焠刺焠刺者刺燔針則取痺也謂燒鍼曰焠也

十二刺

凡刺有十二節以應十二經□節也。一曰偶刺偶刺者以手

真心者有宜痛所一刺前一刺後治方痹刺此者

傍針之也 病心痛者心痺十二刺之曰 二曰報刺報刺

者痛無常處上下行者直刺之撤針以左 隨痛所

按之乃出針後刺之心腹之痛也 三曰恢

刺之者直刺傍之舉之前後恢筋急以治筋痹

也也 □覚也此病之。又刺直刺得傍之

募茂以寬筋急之病減曰恢刺也 四曰齊刺

者也　府筏以寬脇急之病故曰恢刺也　四曰齊刺

齊刺者直入一傍入二以治寒氣小深者或曰參刺

參刺者治痺氣小深者也　寒氣痺者刺之直一傍二深淺齡同故曰齊也直一傍二故曰參

刺五曰揚刺揚刺者正內一傍內四而浮之以治寒氣

之博大者也　寒氣博大之病正一傍四內針浮而出之使散故以揚刺有作拊刺錯也　六

曰直鍼刺直鍼刺者引皮乃刺之以治寒氣之淺

者也　寒氣病者可引其皮不害其骸故淺入穴刺而稍已出針致皮肉間不令氣泄下針時直故曰直刺也

七曰輸刺輸刺者直入直出稀發針而深之以治

氣盛而熱者也　氣盛熱病者直入直出希發入□□□

七曰輸刺輸刺者直入直出稀發鍼而深之以治

氣盛而熱者也（氣盛熱病者直入直出希發於針[illegible]於熱故口輸刺也）八曰短刺

短刺者刺骨痺稍搖而深之致鍼骨所以上下

摩骨也（骨痛痺者刺之[illegible]使痛[illegible]而即愈[illegible]）九曰浮刺浮

刺者傍入而浮之此治肌急而寒者也（肌急[illegible]傍入浮之[illegible]

故曰浮[illegible]也）十曰陰刺陰刺者左右卒刺之此治寒厥

寒厥中寒厥取踝後少陰也（少陰[illegible]足少陰脈也病寒厥者[illegible]刺於此故曰陰刺也）

十一曰傍鍼刺傍鍼刺者直刺傍刺各一此治留

痺久居者也[illegible]

傍鍼刺者直刺傍刺各一以治留

痹久居者也一正一傍療久居痛者直一刺又傍更一刺故曰傍刺十二曰贊刺贊刺者

直入直出數發針而淺之出血是謂治癰腫也癰腫來取病者淺出

數發於針出血洞助以淺針故曰贊刺莫眠也脈之所居深不見者刺之微

內針而久留之以致其空脈氣刺深脈之節深脈深者久留於針以致空氣

脈氣盡後出針也脈淺者勿刺按絕其脈乃刺之無

令精出獨出其邪氣耳刺其脈者恐其精出故按脈令絕然後刺之使

邪氣獨出耳

黄帝内經太素卷第廿二　九刺之二

仁安三年四月十四日以同本移點校合了　黄之

丹波賴基

□□二年三月二日以相傳本校合移點了

憲基

正應三年十二月二日以累祖相傳之本讀合了

施藥院使丹波長光

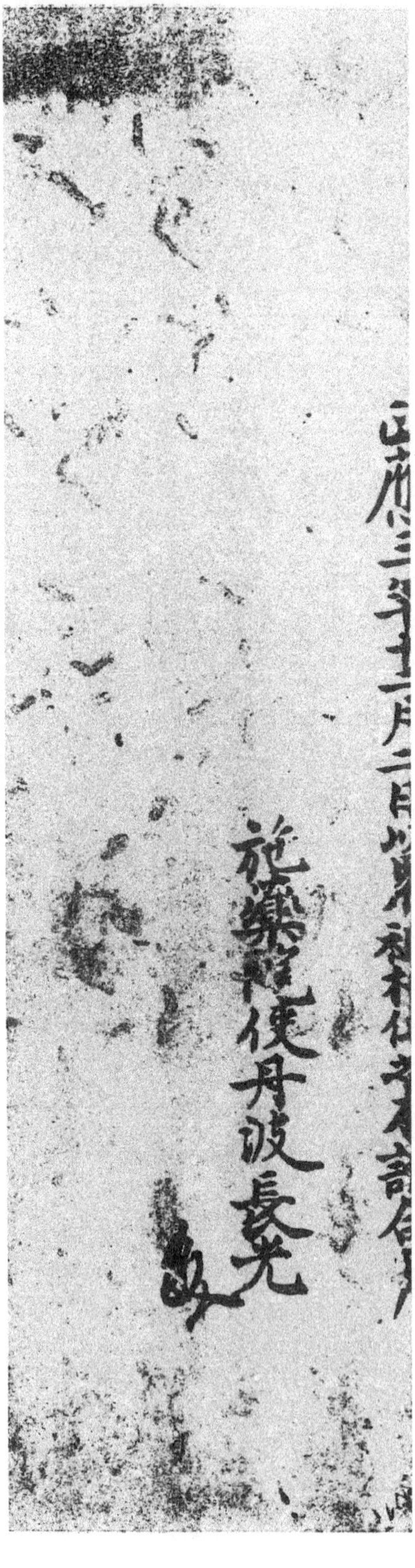

正應三年十二月二日以家秘本校合了

施藥院使丹波長光